Rompien

Autores Españoles e Iberoamericanos

Comprando el silencio

Autores españoles e iberoamericanos

Rompiendo el silencio

Relatos de nuevas escritoras colombianas

As I could not become an
astronaut and explore distant
planets, I travel the worlds
of fiction.

For Susan, with my
admiration and gratitude.

Mercedes Gihl
September/02

Planeta

© María Acosta, 2002; © Juliana Borrero, 2002; © María Castilla, 2002; © Andrea Cheer, 2002; © Melissa Díaz, 2002; © Mercedes Guhl, 2002; © Pilar Gutiérrez, 2002; © Olga Martínez, 2002; © Beatriz Mendoza, 2002; © Ximena Mexía, 2002; © Liliana Rico, 2002; © Ruth Rivas, 2002; © Carolina Sanín, 2002; © Andrea Vergara

© Editorial Planeta Colombiana S.A., 2002
   Calle 21 Nº 69-53 Bogotá, D.C.

   COLOMBIA: www.editorialplaneta.com.co
   VENEZUELA: www.editorialplaneta.com.ve
   ECUADOR: www.editorialplaneta.com.ec

Cubierta: Fragmento de una de las nueve fotos de la serie
           Somos un nosotros (1995) de Patricia Bravo.

Primera edición: julio de 2002
Segunda edición: agosto de 2002

ISBN 958-42-0350-9

Impresión y encuadernación: Cargraphics S. A.

«Las mujeres deberían descuidar algo la casa
para poder escribir».

Brenda Ueland en *If you want to write*

Índice

PRESENTACIÓN

Este libro fue iluminado por una señal de alarma. Aca-
bábamos de editar la antología *¡Aaaaaahhh...!,* de relatos eróticos de jóvenes escritores del país, cuando unas
semanas después se dio a conocer otra recopilación de
cuentos de narradores contemporáneos, realizada por
la profesora universitaria Luz Mary Giraldo. Curiosamente, en ninguna de las dos apareció una sola mujer.
Nuestra perplejidad aumentó cuando comprobamos
que en otras antologías* tampoco figuraban jóvenes na-
rradoras. Por supuesto, no vale, pero una de las pocas
excepciones es *Ellas cuentan,* que editamos en 1998 con
el sello Seix Barral, una selección de relatos de escritoras de la Colonia a nuestros días.

Sin embargo pensamos que aquí, como en muchas
partes, tenía que haber mujeres jóvenes escribiendo relatos. Las buscamos durante meses, las desenterramos
aquí y en otros países, les insistimos, las alentamos a rom-

---

* Entre otras, *Cuentos de fin de siglo,* (Seix Barral, 1999) y *Nuevo
cuento colombiano. 1975-1995* (FCE, 1977), ambas recopilaciones de Luz
Mary Giraldo, o *La horrible noche. Relatos de violencia y guerra en Colombia,* selección de Peter Schultze-Kraft (Seix Barral, 2001).

per su silencio, y llegamos a esta antología de cuentos de colombianas menores de 40 años que no han publicado hasta ahora un libro de manera individual.

Nos encontramos con unas muchachas que vienen trabajando con tenacidad sus escritos, en la soledad de sus cuartos de solteras o al lado de su primogénito, en talleres creativos, en la traducción de novelas y poesía, en el riesgoso —para la literatura— ejercicio del periodismo.

Algunas de ellas, empuñando el látigo y la baraja de naipes que mencionara Truman Capote en el prefacio de *Música para camaleones* —esa extraordinaria guía para quienes se preguntan sobre cómo escribir—, nos dijeron que les diéramos más tiempo para madurar. Un gesto de mesura, curiosamente, raro entre los hombres.

Para terminar, no podemos ocultar nuestra satisfacción y alegría al poder presentar a esta nueva generación de escritoras. Creemos que dentro de estas catorce cuentistas hay más que auténticas promesas. Quizás algunas no lo sepan, pero se han metido en el lío más grande de su vida, pues ahora todos estaremos pendientes de ellas.

La Editorial

MARÍA ACOSTA

Sol en Buenos Aires

La señora Paquita vive en la calle Villarroel. En uno de esos edificios viejos, con apartamentos altísimos y alargados, con cuartos que no tienen ventanas, y una galería en la parte de atrás que da al patio interior de la manzana. Andará por los setenta y tantos. Es bajita, menuda, tiene el pelo blanco y la espalda encorvada. Cada viernes por la tarde cuando llego a su casa me está esperando con la fregona y el cubo de agua donde ya ha disuelto el jabón. Dice que eso prefiere hacerlo ella, porque los jóvenes no sabemos lo que vale un peine y nos gusta despilfarrar. Al final de la tarde abrimos una bolsa de plástico en la que ha ido guardando la correspondencia que le llega. Las facturas del agua o de la luz las reconoce por el dibujito de la empresa que siempre ponen en el sobre, pero no sabe cuándo las tiene que pagar. También le llegan, a veces, postales de una sobrina que vive en la Argentina desde hace años. Yo se las leo, porque doña Paquita nunca aprendió a leer. Una guerra le robó la niñez y no fue nunca a la escuela.
Cada viernes, a las tres, doña Paquita me vuelve a mostrar la casa mientras me dice que ella haría el trabajo y

así se quedaría más tranquila sabiendo, a ciencia cierta, que quedaría bien hecho. Pero la espalda encorvada duele mucho y las piernas ya no responden como antes, tiene miedo de subirse en la escalera. Me indica cómo abrirla; hay que dejarla con las patas bien acuñadas entre la junta abierta de las baldosas para que no se cierre de golpe y acabemos las dos en el suelo con algún hueso roto. Hay que subirse hasta el último peldaño y limpiar las molduras del techo donde se acumulan las telarañas y el polvo, que en sólo una semana apenas tienen tiempo de encontrar un sitio donde acomodarse.

Me enseña el baño. No tiene ducha, pero a ella con el inodoro, el lavabo y el bidé le bastan y le sobran aparatos para desperdiciar el agua, que cada día la cobran más cara. Al lado del inodoro hay un tarro de plástico. Una botella vieja de lejía a la que le cortó el pico para poder utilizar la parte más ancha. Lo coge con la mano y me lo acerca para que yo lo vea. Por las noches meo aquí. Me explica. Como tengo que levantarme tantas veces a mear pongo el tarro dentro del water y meo. Así no molesto a los vecinos con el ruido de la cadena; por la mañana vacío el tarro, y las cinco o seis meadas de la noche se van todas juntas dejando correr el agua una sola vez.

Después me da el delantal. Me vuelve a enseñar cómo hacer el nudo en la espalda para que se aguante en su sitio las tres horas que dura nuestra orgía semanal de la limpieza. Se pone a mis espaldas para asegurarse de que quede bien atado y me sigue los pasos por toda la casa.

Cuando me trepo en lo más alto de la escalera, doña Paquita desiste de su oficio pertinaz de olerme la nuca y se sienta en la mecedora del salón. Se pone las gafas para ver de lejos y poder cerciorarse de que, al pasar, mi plumero es implacable con las precarias telarañitas del techo. Yo me quedo aquí —me dice—, usted, vaya haciendo. Y me va contando que nunca tuvo hijos. Hijos propios, porque a su sobrina la crió como si fuera su hija. Pero se fue a la Argentina, y de tanto en tanto le manda postales. Lástima que ya no está su marido para leérselas. Él sí sabía leer. Él era un caballero. La acompañaba a coger el bus cada mañana y cada tarde venía a buscarla a la parada. Nunca tuvo, doña Paquita, que ir sola a esperar el bus mientras vivió su Manuel. Era alegre como una caja de música. Le gustaban las fiestas, la llevaba a bailar. La gente lo quería porque era bueno y generoso y nunca miraba lo que se gastaba si era para los demás. Doña Paquita le decía que el dinero hay que cuidarlo, que nunca se sabe cuándo vendrán las vacas flacas y no vaya a ser que nos pillen en la calle. Pero su Manuel hacía oídos sordos y cada tarde llegaba con algún presente. Fue él quien insistió en que adoptaran a la sobrina cuando la Carmelita murió. Cómo iba a ser que la niña tuviera que irse a un orfanato, si es sangre de nuestra sangre. De mi sangre, le corregía doña Paquita. Pero él decía que era lo mismo, que en el amor ambas sangres eran la misma y que la de la niña también. Eso decía.

Lo peor del trabajo de la limpieza es quitar el polvo. Doña Paquita lo sabe porque dedicó toda su juventud, todas las fuerzas de sus brazos, y la rectitud de su espalda y de su conciencia, a limpiar una casona en el barrio alto. Una familia acomodada, muy decentes, muy educados, muy cultos. La señora era buena con Paquita y con las otras también: la Sol, que llevaba la cocina, y Rosa, que lavaba la ropa, planchaba y hacía las camas. Todos los días les ofrecía café y galletas para merendar y nunca les descontó ni el tiempo que tardaban en comer, ni lo que comían. Era buena. La señora. Lo que más costaba era quitar el polvo, porque mientras ella pasaba la bayeta, con los ojos tan cerca de la mano, no podía ver las partes que se le quedaban sin sacudir, y luego la señora venía y se sentaba en el sillón y los ojos le quedaban rasantes, a la altura justa para ver (por debajo de las patas del aparato de radio) las manchas que descubría el brillo del sol. Por mucho que se esforzaba Paquita, siempre se le quedaba un trozo de mueble sin repasar. Ahora es ella la que se sienta a mirar mientras yo limpio. Ni una mota de polvo escapa al paso certero de sus gafas de lejos.

El salón es donde tengo que esmerarme más. Es la estancia más iluminada de la casa. Da a la galería, que tiene un ventanal inmenso sobre el patio interior y en las tardes de los viernes entra, sin vergüenza, todo el sol que viene del sur. Luego está la habitación de los estudiantes que no tiene ventana. Hay que mantenerla en condiciones para cuando lleguen, pero pasamos más deprisa; no se debe tener mucho tiempo la luz encendida. La cama está tendida con sábanas limpias. Hay un vasito para el agua en la mesa de noche y tres caramelos de menta en un plato metálico. Pero está deshabitada porque durante los quince años que lleva la ausencia de su Manuel no ha pasado ningún estudiante lo bastante decente para que doña Paquita se decida a alquilarla y justo ahora, que Manuel no está, no es cuestión de meter a cualquier guarro en la casa. Ya vimos pasar muchos guarros por aquí mi Manuel y yo cuando la Carmelita vivía. Antes de que le naciera la niña. Una guarra, ella también, la Carmelita. Con lo duros que fueron los tiempos de la guerra, con la rectitud de mi padre y el trabajo que le costó sacarnos adelante, con el pan de cada día y la misa de cada domingo que nunca nos faltó. Pero así salieron las hijas. Una derecha, porque aunque la espalda de doña Paquita se haya ido encorvando con los años, su conciencia fue siempre derechita y limpia. Y en cambio la otra, torcida, una guarra. Aunque fuera su hermana y la hubiera querido. Aunque ahora, ojalá, descanse en paz, eso fue la Carmelita. Guapa, que le dolía la cara de lo guapa que era, pero una guarra. Las cosas como son.

Dos veces. Hay que barrer dos veces después de sacudir el polvo. Hay que retirar todos los muebles, agacharse y sacar la porquería que se acumula debajo. Que no se me olvide. Porque si no el agua de fregar se ensucia en seguida y la fregona queda hecha una mierda. Entonces habría que volver a llenar el cubo, y además el trabajo se quedaría a medias. Y mientras mi escoba va recorriendo sus pasos por segunda vez, nos vamos poniendo de acuerdo en que la Carmelita era una guarra. Invitaciones no le faltaban, con lo guapa que era, ni propuestas indecentes tampoco; pero una mujer ha de saber hacerse respetar y la Carmelita no sabía. Con el primero que le ofrecía el oro y el moro se iba a la cama. Hasta que un día cualquiera uno de esos gamberros le dejó la tripa llena y desapareció. Como los otros. Como todos. Nosotros no supimos nada sino hasta mucho después. Vino llorando a pedir cobijo. Que la dejáramos vivir aquí, pensaba buscarse un trabajo y cambiar de vida. Pero del embarazo ni una palabra. La muy guarra. Yo no quería, ya la veía venir. A ella y a todos los que vendrían detrás de su olor como perros en celo. Pero, cosas de mi Manuel. Que cómo la vamos a dejar en la calle, que está necesitada y lo está pasando mal. Que a lo mejor es verdad y la muchacha se endereza. Y al final me convenció.

Cuando he terminado de barrer por segunda vez la casa, doña Paquita dice que es hora de hacer un descanso y merendar: un vaso de fanta diluida en agua y un pan cuadrado de molde. Gracias doña Paquita. ¡Que no me dé las gracias! Usted no me ha pedido nada. Si yo se lo ofrezco es porque quiero, porque me sale de los cojones, que no tengo. ¡No tiene que darme las gracias! Yo no sé qué contestarle, bajo los ojos hasta que se hunden en el fondo del vaso de fanta y me lleno la boca de pan.

Pero iban pasando los días y la Carmelita no se ponía a trabajar. Yo salía temprano. Manuel me acompañaba a la parada del bus y después volvía a la casa para coger sus herramientas y marcharse también. A Carmelita se le iban las horas con la mirada colgada del techo, perdida, haciendo nada. Cuando volvíamos por la tarde la encontrábamos así, como si durmiera con los ojos abiertos. La casa sin limpiar, la cena sin hacer y la Carmelita sin cambiarse siquiera de ropa. Al principio yo pensaba que hasta mejor así, mejor eso que la romería de gamberros oliéndole los talones. Hasta que le empezó a crecer la panza y nos dimos cuenta de que estaba preñada. Y mire que se lo pregunté muchas veces, pero nunca me dijo quién le había hecho el hijo. Daba igual. A lo mejor ni ella lo sabía. Sólo se metía con tíos de la peor calaña y seguro que ninguno estaba dispuesto a dar la cara.

El chapuzón de la fregona en el agua anuncia el final de la merienda. Comienzo por el fondo del salón. Las baldosas rojas brillan más bajo el lametazo húmedo de la fregona que va y viene y nos va dejando sin espacio donde estar. Vamos retrocediendo pasito a paso para no pisar sobre mojado; yo pegada al palo de la fregona y doña Paquita pegada al nudo de mi delantal, con la cabeza asomada por detrás de mi brazo, mirando atenta el suelo delante de mis pies. Entonces yo retrocedo un paso más y me tropiezo con su cuerpo diminuto. Me giro para asegurarme de no haberla aplastado, y la encuentro sonriente. Yo también sonrío, de alivio, de encontrarla todavía en pie. Cómo brilla el suelo mojado. Da gusto verlo así. Después se secará y estará limpio pero no brillará igual. A ella le gustaría que siempre brillara tanto como cuando está mojado. Y eso basta. Sólo eso, para arrancarle una sonrisa a la Paquita, que casi nunca sonríe.

El parto fue difícil. La niña venía de culo y era muy grande. Pero al final nació bien. Carmelita, en cambio, quedó muy mala. Ya venía mal de antes, desde que llegó a la casa nunca volvió a ser la misma. Pero parece que después del parto sangró por dentro. Se fue poniendo peor cada día y a las pocas semanas de nacer la niña, la Carmelita se nos murió. Conmigo hacía tiempo que no hablaba, no nos entendíamos. Pero a Manuel le hizo jurar que iba a cuidar de la niña. Manuel, claro, ya se sabe cómo era Manuel, le dijo que sí, que estuviera tranquila, que a la niña no iba a faltarle nada. Y así fue. Yo al principio tenía mis dudas. Por mucho que fuéramos hermanas no me gustaba la idea de criar hijos ajenos. Pero la niña era un cielo, pobrecita, daban ganas de cogerla en brazos. Había que ver cómo se le ponían los ojos a Manuel cuando la miraba. Y lo que la llegó a querer. Yo también. Pero Manuel. Con decirle que cuando la niña creció y se puso rebelde, cuando se le metió en la cabeza eso de irse a la Argentina, Manuel vino de mal en peor. Se enfermó de la tensión y la cabeza empezó a jugarle malas pasadas, decía cosas raras, sin sentido. Pobre Manuel. Seguro sabía que tenía los días contados. Y desvariaba. Un día, cuando ya no se podía levantar (ella ya se había ido), le dio por cogerme la mano. Un rato largo estuvo dale que dale acariciándome la mano, con los ojos clavados en una arruga de mi falda. Muy serio, pensando en quién sabe qué disparates. Después me miró a la cara y con una voz que apenas le salía de la garganta me dijo que la niña era suya. De los dos, Manuel, le decía yo. Tuya y mía.

Los dos la criamos y aunque no la haya parido yo es como si fuera nuestra. No, Paquita, no me entiendes, dijo. La niña es mía; es hija mía y de Carmelita. Eso me dijo. Y se echó a llorar como un crío. Yo no quise insistir, para que él no se fuera a dar cuenta de que se estaba enloqueciendo. Pobre Manuel. Ya la cabeza se le había ido.

Dan las seis. El suelo está limpio. Opaco y seco. Doña Paquita aprieta los puños contra los ojos para que le vuelva a entrar el par de lagrimitas que no terminaron de salirle. Nos sentamos en la cocina, mejor no manchar el salón, y abrimos la bolsa de plástico de la correspondencia: un folleto que ofrece comida china a domicilio. Lo tiramos. Un sobre con membrete del banco, un extracto. Lo leo; eso lo guardamos. Una postal con sello de Argentina. Sonrío y le digo que me cuesta descifrar la letra mientras voy leyendo en silencio, lo más rápido que pueden correr mis ojos. Dice que quiere volver, que viene a reclamar lo que es suyo; la pensión de su papá no será gran cosa, pero le corresponde por lo menos la mitad. Y el piso también. Las cosas se están poniendo difíciles, está sola, en Buenos Aires no hay trabajo, no tiene dinero. Cuando consiga lo del billete volverá, y tendrán, las dos, muchos asuntos que aclarar, cuentas pendientes...

Entonces decido que hay un error, que no es eso lo que dice la postal. Hay que volver a empezar.

La miro a la cara pero ella no me mira, no sonríe. Yo comienzo de nuevo. Una postal con sello de Argentina. Y voy redactando muy despacio, en voz alta, las buenas noticias que nunca le han escrito: Mucho sol en Buenos Aires, el verano es caluroso. Tengo novio. Puede ser que me case, puede ser que lo lleve un día para que te conozca. Los billetes son caros pero estamos ahorrando y, quién sabe, a lo mejor en unos meses habremos juntado el dinero. Muchos besos. Te quiere, Carmen. Doña Paquita sigue sin sonreír y sin mirarme. Con el punto final me levanto del banco de la cocina, con la postal en la mano y sin saber qué hacer con ella. Como si no me diera cuenta la guardo en mi bolso, esperando que ella no me vea. Le esquivo la mirada mientras me quito el delantal, mientras me paga y me dice que sin darme cuenta he metido la postal en mi bolso. Perdone, doña Paquita. Y se la devuelvo. Y me voy despidiendo hasta el viernes que viene. Cierro la puerta al salir, bajo cada peldaño de la escalera, esperando que nadie venga a verla. Que nadie me robe el oficio de leerle sus cartas. Que nadie le diga. Después salgo a la calle. La noche fría me golpea en la cara y pienso que ahora será verano en Argentina. Camino hacia la parada de bus con las manos apretadas entre los bolsillos, cruzando los dedos con todas mis fuerzas para que allá, lejos, haga mucho sol, y la gente quiera quedarse. Para que todo el mundo tenga novio y trabajo, para que en Buenos Aires nadie, nunca más, vuelva a tener motivos para querer comprar un billete de regreso a ninguna parte.

JULIANA BORRERO

La peluca roja

Teníamos la idea de que cruzar el océano era repetir la conquista, pero en sentido invertido; del cálido corazón a la sangre fría, del misterio de lo oculto al mundo culto, de la pasión violenta y desordenada del tercer mundo al metódico museo del mundo europeo. Irnos a vivir a la gran ciudad era caminar sus calles, fundirnos en una historia mayor que la propia, desechar el pasado, el nombre, la familia, como en los años sesenta las feministas se despojaron del brasier, y quedarnos con lo íntimo, este cuero de asombro y no saber que nos constituye.

Vivíamos en una casita en el sureste de Londres: un italiano, Lorena, una inglesa y yo. Era un barrio de inmigrantes. Allí vivían los turcos, los chinos, los paquistaníes, los hindúes, los negros jamaiquinos, los negros africanos, y el mestizaje entre todas estas razas era la ley. Eran los taxistas sin licencia, los indocumentados, los refugiados, los sin trabajo, los sin dinero, los jíbaros y vagabundos. Era la triste solterona inglesa que cada mes le cobraba a su gobierno un cheque de desempleo mientras alquilaba las habitaciones de su casa, y con la nariz roja asomando por entre bufandas y sombreros como un muñeco, vendía periódicos en la calle en pleno invierno. Era el viejo jardinero que se desplazaba en bicicleta por todo el sur de la ciudad y en las noches escuchaba discos de jazz y se imaginaba como la figura del centro, el del tuxedo plateado, el del saxofón de oro. Eran los fantásticos peinados amontonados de las señoras negras y de vez en cuando, en un bus, la mirada escalofriante de unos ojos de vudú. Era un pequeño botón del mundo, ese barrio, con toda su miseria entremezclada de colores; un caldero de vidas que se vendían felizmente por un sueño que cada noche, a la hora gloriosa de la muerte pequeña, lograban conquistar. Y era sólo entonces que existían hermosa y verdaderamente los dueños del mundo, los que casaban a sus hijas con europeos de alcurnia, los grandes doctores de etnia, los músicos famosos, los bailarines más flexibles, los artistas de vanguardia, los que al subir al cielo encontraban el portón abierto por haber raspado con las uñas hasta lo último de la vida.

Cerca de nuestra casa quedaba un parquecito que tenía la particularidad de hacerlo sentir a uno por fin en campo abierto, o en los llanos, aunque en realidad era pura loma. Era uno de aquellos lugares ancestrales que logran conservar la tranquilidad, a pesar de estar enclavados en medio del ajetreo de la ciudad. Allí pasamos mil tardes, recordando la infancia, la casa, los viajes al campo, cosas que queríamos y no queríamos olvidar; y noches de insomnio y mañanas de domingo. Una tarde, sentadas en una loma recontando historias con Lorena, notamos que en la parte baja había una planicie con un letrero que decía: «Zona para montar a caballo».

—El día que vea a alguien montando a caballo en este parque, me corto el pelo —declaré yo, como poseída por la voz de los dioses.

Era como haber caído de repente en el país de las maravillas, y yo, como una Alicia inspirada, había decidido sacrificar mi cabellera larga, latina, reminiscente de mis bisabuelas en homenaje a la fantasía. Ver un caballo allí, en medio de este Londres de la cultura y los grandes negocios, donde ni siquiera se veían potreros ni mucho menos vacas pastando en ellos, era, sin lugar a dudas, la intervención de la magia, un retorno por vía directa a mi infancia de pastales y olor a estiércol. Dulce olor a estiércol.

—Yo ya lo he visto —dijo Lorena tímidamente, rompiendo mi ensueño—. El otro día vi a una niña montada en un caballo y a su mamá llevándole las riendas.

—¿De qué color? —pregunté yo, altamente interesada.

—¿Qué?

—¡El caballo!

—Negro, era negro, y la niña tendría unos cinco años. Inglesa.

No podía ser. Lorena parecía saber de lo que hablaba. Ahora yo debía cortarme el pelo. No era asunto de vanidad, era la sensación de vértigo que precede a un cambio drástico. El caer y caer y caer por un pozo del cual desconoces el fondo.

Al otro día fuimos de compras a la zona de baratijas de la ciudad. Nos probamos todas las pelucas en un almacén de esos grandes que tienen de todo y nada. Lorena, que es piel canela con el cabello negro y crespo, se llevó una peluca roja de pelo liso, y decidimos que yo me haría un corte de estrella de cine melancólica, con capul sobre los ojos. Así pasamos la tarde entre tiendas de zapatos usados y pilas de baldes de plástico de colores; caminábamos por cualquier parte, conversando de cualquier cosa con la sensación de ser partícipes de una historia sin pies ni cabeza, llena de extrañas coincidencias sin consecuencia. Era la sensación del lector que se sumerge en el mar de palabras de una novela y nada perfectamente satisfecho en la fascinación del lenguaje, sin preguntarse cuándo comenzará la historia. Cuándo llegará el momento en que ya no pueda salir de ella. Cuándo se dará cuenta de que es su propia historia.

En el barrio, teníamos un vecino jamaiquino que no hacía nada. Su casa quedaba directamente frente a la nuestra y la ventana de Lorena, en el segundo piso, daba exactamente hacia la ventana de él. Allí pasaba los días, sentado en la ventana, fumando.

Por las noches, Lorena se encerraba en su cuarto a bailar. De esas danzas privadas, los demás, en el primer piso, no conocimos sino el tronar del piso de madera a medida que Lorena saltaba y pirueteaba con la salsa, la música clásica, o lo que más se adecuara al temperamento del día. Un día, sin embargo, el jamaiquino la vio pasar por la calle y le dijo que bailaba bien, que si era profesional. Así fue como Lorena conoció su vividero, una habitación con cama, teléfono y una mesa que exhibía sus únicos dos libros: la guía telefónica y el itinerario de trenes. Tenía también una planta de marihuana muy frondosa, además de retoños de arroz, café y otros frutos del trópico. Se ufanaba de su dedo verde y del potaje fermentado de sobras de cocina que les echaba para que crecieran. Era un mulato con cuerpo de bailarín, que vivía alisándose su largo pelo. Nuestro vecino era vanidoso, vanidosamente terco. Entrar a su casa era quedar allí encerrado durante horas.

Lorena me contó que era peluquero, y yo pensé que le pediría que me hiciera el corte. Ese día, cuando regresábamos de las compras, lo encontramos en la ventana como siempre. Estaba hablando con otro tipo en la calle, así que yo le dije:

—Tengo algo que pedirle, pero hablamos después.

Lo extraño fue que quince minutos después, el jamaiquino tocó en la puerta de mi casa y dijo:

—Está bien. Yo vengo mañana en la mañana.

—Pero si ni siquiera le he dicho qué es lo que le voy a pedir...

—Tranquila, yo sé —me dijo el negro—. Yo te corto el pelo mañana en la mañana.

Llegó a las doce del otro día, con una bolsa llena de cosas, de tijeras, peines, ungüentos para el pelo, lociones, cepillos, secador y rulos. Ya mi decisión era irrevocable.

—Bueno, y ¿cómo te vas a cortar el pelo?

— Pues, yo había pensado que con una capulita sobre los ojos, así —le dije, con una voz tan tímida que se perdió en el aire.

—No, no, no —dijo él a medida que explayaba todos los elementos multicolores de su peluquería portátil sobre la mesa—, eso no era lo que yo había pensado. Ya verás.

No me dejó decir nada más y así me entregué a sus manos, sintiendo que ya comenzaba a tomar forma una historia, independiente de mi voluntad, y que ya que no podía escapar de ella, no me quedaba otra opción que vivirla.

—¿Qué me ofreces de tomar? —preguntó el tipo. Yo le ofrecí café, té, agua aromática, agua, todo lo que teníamos en nuestra alacena de estudiantes pobres—. No, algo alcohólico —dijo el tipo—. Toma esto y me compras unas cervezas en la tienda.

Regresé en picada a los siete años, cuando en una reunión uno de mis tíos me decía «tome, mijita, y trae». Me sentí infantil, absurda, a medida que bajaba corriendo por la calle como un chino mandadero, pensando que ni siquiera tenía con qué invitarlo a la cerveza y que Lorena me debía estar odiando por dejarla sola con el tipo. Ya habíamos determinado que era un baboso poco interesante y con manos rápidas como culebras. Tres latas azules y altas. Para eso alcanzó el dinero. Al volver a casa encontré a mi peluquero tostando yerba en el horno. Respiré profundo, acerqué una butaca y una toalla a la cocina, y me entregué a la historia.

A medida que cortaba trozos húmedos de pelo de diferentes largos, me acordé de un cuento fantástico japonés. Decidí contárselo, hacer mi aporte a esta historia insólita, para establecer ese contacto que parece ser necesario entre una mujer y un peluquero.

Resulta que en el Japón antiguo había un hombre que era el más reconocido de los tatuadores. Era él quien tatuaba a las mujeres más nobles y a las cortesanas más reputadas, y como era un artista tan famoso, su condición era que él tatuaba como quería y lo que quería sobre los cuerpos de estas mujeres. Un día, saliendo de teatro, el maestro tatuador vio bajo el telón los tobillos blancos de la mujer donde iba a tatuar su gran obra. La buscó durante quince años sin encontrarla. Y un día llegó la madama de un salón de geishas con una niña nueva, a la que iba a iniciar en los artes del amor, y se la entregó al maestro para que la tatuara. El maestro se dio cuenta de que era la mujer de los tobillos blancos. No sé si tergiverso la historia, pero el maestro emprendió su labor con sumo esmero, le conversó a la muchacha con la ternura de quince años de espera y le mostró unos grabados antiguos de una reina en un campo de batalla, bailando sobre los muertos del reino. «Esa reina eres tú», le dijo, y la muchacha inocente y virgen sintió algo parecido al terror. Sin embargo, el tatuador procedía con sumo esmero, e incluso fue la única vez que utilizó anestesia. Laboró durante tres días y tres noches sobre la espalda de la niña dormida. Trabajó sin descanso y cuando por fin acabó, era una araña gigantesca que parecía salírsele de la espalda. Al despertar, la muchacha ya estaba convertida en esa reina mala. Antes de irse, el maestro le dijo: «Ahora tan sólo te pido una cosa, que te des la vuelta una última vez para permitirme contemplar mi obra», porque él sabía que en ese tatuaje había tatuado su alma.

Entonces yo le conté esa historia y el tipo, sí, sí, sí. Seguía tomando cerveza y, como en las fogatas de cuentería de los abuelos, ahora era su turno. Me contó de cuando vivía en Portugal, cuando era rico y tenía un carro, que había tenido una novia y que una vez tuvo dos al mismo tiempo. Sus cuentos era de brillos y escarchas; parecían sacados de una revista de farándula. Pero lo echaron de Portugal —tenía negocios raros—, y ahora pues no tenía plata, pero te digo que cuando tenga me voy a comprar una casa en la loma y te voy a llevar a montar a caballo, muchacha. Es una promesa. Bueno, ya está, ahora ven y te peino. Vas a quedar como una princesa, este es un corte de pelo de mil libras, esto no se consigue en el centro de Londres ni en ninguna parte. Déjame que te lleve a la Ópera para mostrarte a todas esas actricillas y modelitos de pacotilla y nariz roja. Déjame que te lleve a Covent Garden para que te pasee.

Pero yo no podía más, lo despedí y salí corriendo por las calles como una loca, con pedazos de rizos recién cortados entre la camiseta, con el pelo secándose al viento como si fuera en moto, hasta la casa de un amigo. Sólo allí me miré por primera vez en el espejo. Parecía una leona.

****

Eso habrá sido por ahí en septiembre, en la época de las hojas secas, y llegado noviembre, yo fui de paseo a conocer la costa. Lorena estaba sola en la casa. Una de esas noches en que el viento cortaba el aire con un filo helado, Lorena me llamó por teléfono y me dijo, con la voz toda temblorosa:

—La calle está sellada con cintas amarillas, está llena de policías. La puerta de enfrente está abierta, mataron a un hombre y no sé quién fue.

El jamaiquino se llamaba Alan, y en efecto, habían matado a Alan, lo habían apuñalado a sangre fría en su propia casa.

Lorena bajaba disfrazada todos los días a la tienda. A veces se vestía de estrella de cine italiana, con unos anteojos de sol inmensos que había encontrado en una casa abandonada, para bajar a comprar el pan o los cigarrillos. Era su juego con los hindúes recién llegados a Inglaterra que manejaban la tienda. Ella se disfrazaba, y en el asombro de ellos ante el nuevo idioma y todo lo inglés, bien podía imaginar que no la reconocían. Esa noche subía de la tienda embarazada, con una bomba entre el vestido, peluca roja y gafas de sol. Así atravesó la horda de policías y se encerró en la casa. Más tarde la interrogaron acerca del muerto, quién era y por qué lo conocía, querían saber. Ella lo conocía bastante; sabía que no trabajaba, que gastaba dinero a montones, que robaba llamadas telefónicas al exterior y que firmaba los cheques con otro nombre. Incluso había conocido a unos amigos que no parecían ser tan amigos: uno negro alto, cojo, con un diente dorado, y otro bajito, como enano, que habían atracado a un amigo por la calle. Sola en casa, Lorena se imaginaba al asesino, el del diente dorado tenía cara de asesino. ¿Dónde estaría escondido? Debía estar en algún lugar del barrio. ¿Estaría en el jardín?

Pasaron los días y las semanas, con esa facilidad envidiable que tiene el inflexible tiempo para no detenerse nunca. El mundo volvió a la gran cinta rodante que parece detenerse cada vez que se vela un muerto. Al hombre lo vimos una vez más antes de que lo metieran a la cárcel. Era una noche oscura, la calle estaba sola y el zumbido de las lámparas de la calle era lo único que se oía, cuando a lo lejos escuchamos unos pasos desiguales, como describe Stevenson que caminaba el señor Hyde. Tac, tac, tac, tac; era como el ritmo asincopado de un corazón inmenso, que estaba afuera, por debajo de nosotras. Tac, tac, tac, tac; los pasos se acercaban y con los ojos de la una petrificados en los ojos de la otra, esperamos paralizadas al hombre —debía ser un hombre— que consolidaría nuestra imagen del terror, que en pocos instantes confirmaría nuestra invisibilidad en la historia mayor de esa gran ciudad. Tac, tac, tac, tac. La luz de las lámparas encandelilló su rostro negro a medida que con paso desigual y la mirada fija al frente pasó por nuestro lado, y por el lado de la casa de Alan Stobee, en aquel barrio del sureste londinense.

MARÍA CASTILLA

Virginia H.

Con la cabeza apoyada contra la ventana, ve pasar ante sus ojos el paisaje de la Toscana. Casitas, iglesias, pueblos que se aferran con empecinamiento a las laderas de las montañas. Suspira. Qué aburrido. Nada tan aburrido como la campiña italiana, como atravesar Italia en ese tren sin saber muy bien cómo o para qué o por qué o qué es exactamente eso que está buscando, buscando, buscando.

Es cierto, sin embargo, que algunas cosas ocurridas durante los pasados días la engañaron. Ah, esto era los frescos del Giotto en la Capella de la Arena en Padua, la piel suave e insinuante del sexo de David; el *David*, tan desafiante, tan desnudo, tan palpable, tan yo sé cómo se siente el peso de tu sexo en la mano, casi me imagino cómo sería sostener tus bolas, tus güevos, tus... ¡Ah...!, cómo decirlo sin que resulte procaz, sin parecer una profesora de primaria, sin sonar a descripción anatómica o científica, a doctora corazón, sexóloga experta que habla por la tele: «Sí, evidentemente, los genitales del David de Miguel Ángel constituyen el caso más patente de obsesión iconográfica, de fetiche erótico. Como nuestros televidentes pueden observar en sus pantallas, la manera en que el artista ha esculpido los testículos y el pene pone en evidencia su fascinación y profundo conocimiento del sexo masculino...». ¡Ah, profundo conocimiento!..., ¡profundo disfrute, pasión verdadera!, vaya manera de hablar de esa delgada piel de mármol, esa dulce piel que envuelve tu verga, que inunda la mirada cuando me aproximo; imposible evitarla, evadirla, no mirarla, visión que me llena, que me ocupa toda, que pone en evidencia cuánto y qué tan bien conozco la realidad representada, cuántas son las veces que la he mirado con cautela, cuántas son las veces que la he separado con mis dedos, jalado, acariciado, lamido...

O el día en el huerto de naranjos, besando a un desconocido mientras la tarde caía sobre Roma. O follar en un campo de trigo sobre las catacumbas de san Calixto, tirarse a alguien o que alguien se la tire a ella (¿cuál es la diferencia?) mientras abajo los muertos se deshacen, se pulverizan, se desintegran pensando que alguien irá a buscarlos en ese inmenso cementerio, un dormitorio para los que creen, vanamente, que la vida verdadera no es la vida que vivieron.

¡Ah, vivir!, estar tan vivo sobre los muertos, rodar sobre las espigas mientras los muertos duermen para siempre y fumarse luego un cigarrillo mirando el sol de las nueve de la noche, que comienza a languidecer y a licuarse como pasta densa sobre las torres y cúpulas lejanas.

De lejos, de muy lejos, le llega la pregunta: «Y, ¿a qué me dijo que se dedicaba? Me parece que no entendí muy bien lo que le explicaba hace un rato al señor Stube...». Ahí, saliendo todavía del túnel oscuro de la catacumba, es capaz de presentir la forma en que las palabras, esas tan metálicas y tan deshabitadas de vocales, se abren paso a través de su cabeza como si salieran del corazón mismo del infierno de Dante. Tranquila, las deja llegar, aposentarse, rebotar un poquito aquí y allá antes de dejarlas estar, de verlas materializarse.

—Soy campeona nacional de nado sincronizado —contesta con los ojos bien abiertos, en un alemán desprovisto de cualquier acento, cualquier partícula que empañe la exacta perfección de su mentira.

—Tja...—suelta su interlocutor intentando esbozar una sonrisa—, qué interesante; realmente, tendría que contarme mucho más acerca de esta actividad tan interesante...

—Sí, seguro. Como le decía a Herr Stube, lo peor son en realidad las competencias. El maquillaje, ¿sabe? Ese maquillaje a prueba de agua es verdaderamente espantoso. Se agarra a la piel de una manera que usted no creería, tapa los poros y me da alergia. Después de una competencia me lleno de granos. Como una adolescente. Es horrible.

El hombre se arrellana en el asiento. La mira a los ojos buscando allí un parpadeo, un titubeo que la delate, algo para empezar a reírse, para compartir el sentido oculto de esa broma.

Virginia voltea la cabeza y mira por la ventana.

—Psi..., en dos meses empezamos otra vez con el entrenamiento. Normalmente, cuando el campeonato suramericano termina, tenemos derecho a dos meses de descanso, una breve pausa para viajar, para dormir, para comer y comer y comer, para fumarnos un par de cigarrillos, para beber cada día una cerveza. Lo que me gusta más de esas «vacaciones» es subir de peso, ¿sabe?; atragantarse de comida para subir unos cuantos kilos, como hacen con los cerdos o los pavos antes de sacrificarlos, como si la Navidad estuviera cerca de alguna manera. Ya sé que no es bueno para el cuerpo, pero, ¿sabe?, me parece que los nervios me piden desesperadamente que los calme, que los llene de comida. Aplacarse, ¿me entiende?; estar tan lleno, tan «jarto», como dice la gente de la costa en mi país, que los pensamientos viajen lentamente, que traten de abrirse camino con dificultad a través de los pedazos de tomate, las aceitunas, los cuadrados generosos de mozzarella o queso feta. ¿Le gusta el mozzarella? Es mi queso favorito.

Con esto, Virginia conquista el silencio, unos cuantos minutos de tranquilidad, media hora quizás, durante la cual Herr Ewald se imagine, no sin cierto grado de incomodidad, un cerebro habitado por el mozzarella, el tomate en descomposición, un manojo de neuronas inexplicablemente azotado por el ataque pertinaz de un banquete pantagruélico.

En realidad, Virginia detesta estos ataques, estos deseos imparables de comer, ese apetito desbordado que se apodera de todos sus sentidos como si lo que más quisiera fuera devorarse el mundo, arrancarle a

34

cada instante toda su carga de vida en una sola dentellada.

Con la cabeza apoyada contra la ventana, deja al mundo pasar, lo deja ir. A veces es mejor así: no atrapar nada, no salir a la calle a buscar algo, a visitar algo, a entrar a algún lado, a comprar alguna cosa. «Un espíritu libre», se dice para sí sonriendo; «soy un espíritu libre. I'm a free spirit. Ich bin ein freies Geist...».

En la frontera, revuelve la maleta buscando el pasaporte. Por si acaso, lo pone desafiante en el centro de la mesa, con la cubierta boca arriba, para que se lea bien clarito República de Colombia, por si las moscas, por si alguien desea imaginarse que preferiría pasar inadvertida, que ser colombiana es padecer una horrible y contagiosa enfermedad, un dibujito inconfundible que señala la existencia de material inestable y radiactivo, demasiado hipersensible para los recelos, para los intercambios sospechosos de miradas.

De forma simbólica, Virginia ha escogido el tren para salirle al paso a esta cita que viene aplazando con el futuro. Aunque se trata en realidad de un encuentro con el pasado, un darse de cabeza contra ese pasado que podría convertirse en su futuro.

Porque, como tantas otras cosas en su vida, el pasado de Virginia no es otra cosa que una gran mentira.

Mientras los Alpes hacen su aparición por la ventana, musita para sí el nombre lejano de una calle, el número de la casa en el centro de la manzana, la ubicación aproximada de la estación de metro contigua.

Quién iba a imaginarse que tendría que ponerle la cara a esa historia urdida por su imaginación hace tanto, tanto tiempo, la mentira original, si hubiera que llamarla ahora de algún modo, como si a Adán y Eva los citaran después de viejos para hacerles un inventario de manzanas y otras frutas prohibidas, que el arcángel Gabriel ha empezado a echar de menos después de tantos y de tan sufridos años.

La imagen de Gabriel, con armadura y espada incandescente, desempacando piedras, ríos y frutales y apretando nervioso contra el pecho un manojo de papeles arrugados y con las puntas sucias y dobladas no deja de dibujarle una sonrisa en plena cara.

—No, Dios, Señor, todavía no encontramos las papayas que estaban junto a los arbustos de frambuesas; no, Señor, en este desorden no he podido dar con las cajas en las que Azrael afirma haber empacado el par de conejos y el musgo anaranjado...

Pobres Adán y Eva, quién iba a decirles que después de tantos años tendrían que darse de narices con esa historia tan bien fabricada y contada durante generaciones y generaciones a los hijos de los hijos. Sí, sí, cómo no, el paraíso terrenal, el jardín de todos los orígenes..., visto de cerca y así, tan mal embalado por ángeles incompetentes y apresurados, parece que tanta cosa, tanta civilización y tanta historia universal no tuvieran ya ninguna forma ni sentido. Y todo para esto, piensa Virginia que Adán piensa mientras Eva, una señora de cartera, comienza a impacientarse y a emitir pucheros y suspiros compungidos.

A Virginia le encanta la manera en que sus pensamientos van y vienen, yendo hasta el pecado original para no tener que decirse nada sobre ella. El pecado original. Mientras lo musita se aprieta el borde del vestido, constatando para su tranquilidad la presencia de la medallita del Niño Dios de Praga que su abuelita le regalara justo antes de viajar, bendecida pesonalmente por el Papa y todo eso, como si ella, tremenda farisea, les diera importancia a esas cosas inauditas relacionadas con rosarios, cruces y frasquitos de colores con agüitas milagrosas.

—Und, Wieso können sie so gut auf Deutsch sprechen? —suelta Herr Ewald después de tan sólo diez minutos.

«Ajá, ahí está», piensa Virginia, y antes de iniciar la narración tradicional de la mentira, se pregunta si en realidad y a punto de darse de narices con la geografía exacta de ese destino inventado, es posible continuar alimentando la ficción que la ayudó a fundar en la realidad un país para su nueva vida.

La verdad y la mentira, lo cierto y lo falsificado. ¿Dónde trazar el límite? A Virginia le parece que ese pasado tan cuidadosamente urdido se ha atado a su piel como el cuerpo enjuto y malformado de una hermana siamesa, con la que comparte el corazón, el hígado, un pedazo del pulmón derecho. Separarla de su cuerpo significaría no sólo una cuidadosa operación quirúrgica sino, además y sobre todo, una tarea de reconocimiento incapaz de identificar lo original de lo deformado, lo cierto de lo falso.

¿Seré yo la primera mujer o me habré convertido ya en la siamesa? A punto de decir a Herr Ewald que aprendió alemán cuando le intervinieron el cerebro hace seis años, para extirparle un tumor maligno que le había invadido toda la cabeza, Virginia se ensombrece y le suelta a quemarropa la increíble historia de su vida, una historia que la entristece y que la hace sentir piedad por la gravedad de sus palabras.

—Me adoptó una familia alemana, ¿sabe? Me criaron en München como una de sus hijas, pero mi mamá se arrepintió e hizo hasta lo imposible para recuperarme, cosa que logró poco antes de que cumpliera siete años.

Herr Ewald guarda silencio y la mira atento, esperando que la narración continúe. Puede notar cómo Virginia ha dado por clausurado el tema, pero no se resigna a que alguien le cuente una historia tan fascinante con el desapasionamiento del que habla de los peces de su hijo.

—Sí, mi hijo tiene una pecera hace tres años, dos bailarinas y tres gupis, y me parece que también unos caracoles que se comen la mierda del fondo.

Desde su silla, Virginia observa la masa gelatinosa del silencio de Herr Ewald y reconoce en ella la provocación, un vacío recientemente abierto para ella que la jala, que la invita a caer y resbalar en la tentadora trampa de contar otra vez, sólo una vez más, la historia de su vida.

—Debe haber sido difícil —comienza Herr Ewald, moviendo en la superficie el cuerpo del anzuelo, llenando de reflejos y movimientos incitantes esas primeras palabras que lo ayudarán a arrancar el pez del corazón de las profundidades.

—Muy difícil, mucho. Llegar a Bogotá fue horrible. Todas esas tías que hablaban tan duro, que me cogían y me apretujaban. En Colombia la gente se toca demasiado, se abraza, se besa, se acaricia las manos o se coge el pelo. Cuando me bajé del avión, sentí que comenzarían a arrancarme los brazos para devorarlos, como el gigante en el cuadro de Goya. Llevaba en la mano mi Teddy-Bär y lo apretaba contra el pecho, aterrada con el tamaño de las bocas de mis tías que se abrían y cerraban en un parloteo infinito y despiadado. Además, no les entendía nada. Ni una palabra. En mi vida había oído antes que alguien me hablara en un idioma diferente del que conocía.

—Also, deswegen. Deutsch ist aber ihre Muttersprache.

Por primera vez desde que comenzaron este viaje, Herr Ewald cree que entiende. Qué bueno, casi puede respirar mejor, comprender mejor la vida. Lo que hace un segundo le parecía absolutamente inquietante e incómodo empieza a revelarse ante sus ojos como una historia conmovedora y cercana. ¿Cómo no compadecerse de esa chica joven que viaja sola en el tren, que mira el mundo con desafío y que le va soltando a uno en la cara los secretos más demoledores sobre la verdad del universo. Casi podría decirse que la odia, con sus opiniones sobre la aburrida vida de las personas normales, sus declaraciones sobre los hijos, la espantosa vida del matrimonio, el trabajo, el dinero, las obligaciones. Pero ahora ha comenzado a entenderla, ha empezado a ver en ella la fragilidad, la delicada tristeza que se le deposita en la comisura de los párpados. Se siente movido a protegerla, a decirle algo amable para que empiece a confiar en el mundo. Como si después de tantos años de amargos desengaños pudiera abandonar la orfandad como el estado permanente de su alma. Tal vez en el pasaporte debería aparecer República Huérfana, República Democrática de la Orfandad y no Banana Republic, como no dice, pero casi dice en el pasaporte colombiano, porque aunque ni la mitad de la historia es cierta, Virginia es en realidad una abandonada de la vida.

Mientras el tren avanza, Virginia recuerda que la última vez que vio los Alpes era invierno. Una espesa capa de la nieve blanca y mullida del sur se extendía por los campos y en un lugar cualquiera una parejita patinaba en un pequeño lago congelado, deslizándose delicadamente sobre la superficie del agua. En un momento dado ella extendió la mano hacia él, y él le ofreció la suya como si sólo hasta entonces se hubiera abierto una puerta entre sus mundos. Como si acabaran de fundarse, de encontrarse, tierra avistada después de meses de mar y océanos, recién nacidos en el mundo en virtud de unos dedos que se tocan. Cuando el tren comenzó a dar la vuelta, Virginia pudo mirar cómo se besaban: tenía dieciséis años y era la primera vez que estaba en Alemania.

—La última vez que vi los Alpes era invierno... —dice en un intento de dar por clausurado el tema—. Fue precisamente cuando me despedí de mi familia...

—Seguro que ésta ha sido una situación difícil de manejar para usted. Empezar otra vez, descubrir que su familia no es en realidad la suya, viajar a otro país, tratar de entender una nueva forma de vida...

—Sí, bueno... Lo cierto es que no recuerdo muchas cosas. Tengo bloqueados casi todos los recuerdos de la infancia. De vez en cuando aparecen destellos que iluminan zonas oscuras de la mente por aquí y allá, pero no son nunca recuerdos completos. Se parecen más a videos musicales que a series familiares de media hora o a películas enteras. No sé. Supongo que es extraño sentir nostalgia de algo que parece tan etéreo, tan difícil de atrapar, como si no fuera cierto en realidad.

Mientras dice esto último, Virginia mira a Herr Ewald de reojo, esperando que entienda lo que quiere decirle: la verdad... Cómo le gustaría a Virginia decirle la verdad.

—Y ¿no volvió a verlos nunca más? —pregunta Herr Ewald mientras Virginia descubre que es capaz de predecir con certeza la manera en que se desenvolverá el resto de la conversación a partir de ahí. Tantas veces en su vida ha contado esta historia, que cada recuerdo, cada trozo narrado han empezado a ocupar en su cabeza un espacio concreto, se han hecho tangibles, han adquirido un cierto peso, un impulso interno, un latido, les ha crecido piel y se han echado a andar. Ya no debe pensar antes de contar. Los escenarios, las conversaciones, las sensaciones están allí cuando cierra los ojos. Se los dicta la memoria, como si también ella hubiera decidido clausurar la historia verdadera para irse a vivir al terreno más amable de esa ficción.

Se siente como Frankenstein. Un poco Dios, un poco con el poder de crear una criatura con vida verdadera a partir de desechos, fragmentos de otros cuerpos, de otras vidas. Con la sutil diferencia de que el monstruo resultante no es otro sino ella. ¿Tendré también que pegarle un tiro al final?, ¿que pegármelo?

—Cuando cumplí dieciséis regresé nuevamente y los busqué. Fue muy extraño. Esperé frente a la puerta por horas sin atreverme a entrar o a tocar el timbre. Finalmente, Christa me abrió la puerta y me miró con nerviosismo. Entré, dejé mi morral junto a la puerta y nos sentamos en la gran mesa de madera clara del comedor. Sólo estaba Viola, mi hermana menor, que subió a su cuarto a terminar no sé qué cosas para el colegio. Christa y yo empezamos a hablar, pero como estábamos tan nerviosas y la conversación comenzaba a resultarnos difícil, se levantó y buscó una botella de vino blanco. Para cuando Gerd —mi papá—, Laura y Jonas llegaron, ya habíamos terminado la botella; habíamos decidido abrir otra más y teníamos las miradas llenas de memorias compartidas: un triciclo rojo, un libro sobre una niña que se pierde en el bosque con su erizo, un paseo por el lago, la última Navidad. No es que hubiéramos hablado de eso en realidad, pero al mirarnos a los ojos lo habíamos descubierto en la otra, nos habíamos reconocido. Cuando llegaron los demás hicimos una verdadera fiesta. Cenamos y bebimos y hablamos de los últimos años para saber bien qué había sido de nosotros. Me arreglaron un cuarto en el sótano, que tenía una pequeña ventanita que daba al jardín, y antes de caer profundamente dormida estuve apoyada allí no sé cuánto tiempo, soplando mi aliento sobre el vidrio y viendo los árboles y las plantas desaparecer. Ahora están, ahora no. ¿Podría ocurrir que los árboles desaparecieran? ¿Que en uno de esos intentos, tras disolverse el vaho, ese mundo exterior hubiera simplemente desaparecido? Como mi memoria: ¿sí he estado antes aquí?, ¿es cierto que pasé seis años de mi vida en esta casa?, ¿que fueron ellos los que me vieron crecer?

Era tan grande entonces, con dieciséis años, que ya no me parecía en nada a la niñita que ellos habían conocido alguna vez. Todavía debíamos recorrer el camino que nos separaba de los siete a los dieciséis, vivir en pocas horas transformaciones que se tardan años. Mirar a través del cristal de la memoria y soplar: aquí está, ahora no está, aquí con un año, aquí con dos, aquí con tres, caminando, corriendo, aprendiendo a hablar, y de pronto sin estar, evaporada, engullida por el vaho depositado en el cristal, y de pronto tan grande, tan adulta, tan hablando con propiedad y sentada a la mesa bebiendo vino blanco como si fuera la cosa más normal del mundo, como si estuviéramos acostumbrados.

Al desayuno todo se había transformado. La sensación festiva de la noche nos había abandonado y mirábamos la mesa en silencio sin saber por dónde comenzar. Siempre Christa y yo. Siempre juntas al final cuando todos los demás ya se habían ido. Mientras tomábamos café pude ver, casi de reojo, unas marquitas en el marco de la puerta. Christa me preguntaba mis planes, qué había pensado para el día, a dónde tenía deseos de ir. Me preguntaba por el colegio, por esos meses en Alemania. Y yo contestaba, tomaba mi café, depositaba la taza en el regazo y contestaba, con los ojos puestos en las marcas de la puerta, sin verlas realmente pero dejándolas estar. Después de un rato, las marcas comenzaron a moverse, a ajustarse, a concretarse alrededor de una línea, un trazo, una palabra: mi nombre, Virginia H., 27.04.80. Me levanté, fui hacia la puerta, traté de leer mejor. Christa fue tras de mí y sonriendo me ayudó a encontrarme: aquí a los dos años, aquí a los cinco, a los cuatro. Nos quedamos en silencio. Apoyé la mano de la taza contra el cuerpo y levanté mi dedo hasta tocar las letras. Las acaricié: el surco del esfero, la madera, el tiempo pasado entre nosotras; ahí estaba yo, esa era yo, había vuelto al fin a casa.

Virginia se calla. Se da cuenta de que ha hablado demasiado. Que, como siempre, ha hablado demasiado, que no querría exponer así su intimidad, pero que es casi imposible, una vez iniciada la historia, detener la narración, detener la memoria, impedir que los recuerdos se apoderen de su corazón.

Herr Ewald la observa en silencio y la deja estar, mirar por la ventana el paisaje que pasa a velocidades vertiginosas junto al tren. Piensa que está muy lejos, instalada en un paisaje interior distinto, atravesada por la nostalgia de los tiempos idos, de las heridas interiores, de esos instantes fugaces que ya no podemos recuperar. Para Virginia resulta misteriosa e incomprensible la manera en que los recuerdos infantiles acercan siempre a las personas. Sin importar qué tan distintas sean, sin importar si desaprueban mutuamente las formas de vida elegidas por cada una, o incluso si se odian, piensa Virginia, todas las personas se encuentran en las narraciones de la infancia, en ellas se solidarizan; al contar esas memorias perdidas todas se sienten reconocidas, expulsadas del paraíso de un tiempo mejor. Como soldados que exponen sus heridas, que comentan e interpretan cada una de las viejas cicatrices. Porque, en el fondo del corazón, todos han sido heridos, todos continúan lastimados. El problema es, piensa Virginia, que resulta indecoroso hablar del tema con extraños. Sí, sería absolutamente inaceptable reunirse para tomar un trago y comenzar: cuando era pequeño estuve enamorado de una niña pelirroja que tenía trenzas. Aun ahora, cuando estoy en el trabajo, me visita en ocasiones el pelo de esa niña, sus trenzas mal hechas anudadas con cintas rojas y me parece, sólo por un par de minutos, que mi vida entera ha estado equivocada. No, esas cosas no se dicen. Virginia cree que esa es la razón de que su historia cale tan profundo: que todos la compartan, que todos se sientan abandonados y recuperados, perdidos y confundidos, asustados y, al final, nuevamente reconocidos.

—Supongo que irá a visitarlos ahora que va a estar en München...

Virginia contesta cualquier cosa: «Sí, claro, naturalmente; estoy muy emocionada», o algo así, algo obvio para salir rápido del problema de decir algo tan difícil, porque ¿cómo responder esta pregunta? Virginia es incapaz de saber si al llegar a München encontrará una calle con ese nombre, si su familia existirá, si tendrá dos hermanas y un hermano, si la casa tendrá sótano o no, si en la sala, en el medio de la sala, la esperará el piano negro en el que Gerd tocó villancicos españoles la última Navidad que pasaron juntos.

¿Qué de todo esto es verdad? ¿Qué es mentira? Virginia no imaginó jamás que este pasado la tomaría por asalto en el futuro, que ir en busca de las memorias del pasado coincidiría, por una razón inexplicable y misteriosa, con la manera ansiosa y ávida con la que ha decidido avanzar hacia el futuro y devorarlo.

En su memoria conserva el olor de las mangas de Gerd que olfateaba con fruición cuando, en la noche, apoyaba su cabeza contra sus rodillas mientras veían la televisión. Todos los demás dormían y Gerd, desvelado, bajaba al primer piso a fumar su pipa y a pensar un poco, a mirar las noticias o una vieja película nocturna. Desde su cuarto, en el sótano, Virginia lo escuchaba y se deslizaba silenciosa hasta la puerta de la sala, desde la que anunciaba con solemnidad que, por ese día, había finalmente terminado de dormir. Gerd la miraba desde lejos y se sonreía por dentro, maravillado del carácter de esta niña, esta otra hija que el destino les había regalado y que los miraba desde el fondo de su corazón, reconociéndose en ellos sin la menor duda.

O leer cuentos en la cama con Viola, o jugar estrategia con Jonas en la mesa de la cocina. Recuerda sobre todo Navidad, la última Navidad, con el olor pegajoso del pino invadiendo el primer piso de la casa. Caminó con sus hermanos hasta el sitio de los pinos y eligieron el mejor: el más alto, el más bonito, el de ramas como brazos y agujas tan verdes como una esmeralda enterrada en el centro de la Tierra. Gerd fue después a cortarlo con su hacha y lo trajo a la casa, empapando el piso de la entrada. Ah, ese árbol, el que Christa examinó con atención antes de descubrir cómo deseaba decorarlo, casi como si el árbol le dijera cosas sobre su vida, sobre las arañas y el rocío en la mañana, sobre las lágrimas de cristal que cada día depositaba en él la nieve. Virginia no duda ni un instante en que fue así como Christa supo con seguridad qué cosas se debían comprar: bolas transparentes, festones de vidrio, delicadas estrellitas de translúcido cristal.

Virginia se queda pensando en la cera que goteaba al final de cada rama, en las velas encendidas esa última noche, en el miedo al fuego, en la sensación que tuvo de que, tal vez, cuando se quedaran dormidos, una de las velas caería sobre la rama inferior y se incendiaría el árbol y le prendería fuego al piso y se quemaría la casa y, así, un incendio devastador la privaría de su memoria, se la devoraría entera y borraría de la faz de la Tierra para siempre la marca de la puerta con su nombre: Virginia H., 27 de abril de 1980.

Frente a ella, Herr Ewald cabecea, tal vez sueña con su propia infancia, su árbol de Navidad. Quisiera librarse de él, quedarse finalmente a solas en el centro de ese mundo desconocido y al mismo tiempo familiar, construido con tanto cuidado desde la ficción que la realidad parece que no tuviera más remedio que imitarlo.

Unas horas después, sólo unas horas después, Virginia puede ver las primeras viviendas de la ciudad, unas que le salen al paso y que le ponen en marcha el corazón. Tiene miedo, una especie de miedo. Hace tan sólo unos meses cerró tras de sí la puerta de su casa en Bogotá, con la certeza de no volver más, por lo menos ahí, por lo menos siendo la que entonces fue. Pensaba entonces en Rilke y en esa primera carta de Malte Laurids Brigge en la que habla de la dificultad de escribir cartas desde una persona que ya no es, a las personas que se quedaron, que tarde o temprano dejarán de ser las personas que esa que dejó de ser conoció y amó.

El peligro de los viajes, piensa Virginia en voz alta, es que nos dejan justo en el limbo de nosotros mismos: sin ser lo que hemos sido, sin ser eso que llegaremos a ser. Mira a su alrededor y examina sus maletas, sus paquetes de libros y le parece extraño que justo eso que ve es precisamente lo único que posee. En el mundo, en su mundo, no hay ya orillas para retornar. En vez de quemar las naves, Virginia quemó la tierra, la playa, hundió los continentes. No calculó, eso sí, que este viaje en el vacío la llevaría al territorio de la invención, la obligaría a entrar en él.

Ha notado, en los últimos días, que cuando alguien le pregunta quién es —esa pregunta siempre llega, siempre aparece, siempre está—, le resulta terriblemente penoso empezar de nuevo, mentir, sacarse de debajo de la manga el pasado que eligió y sobre el que echó los cimientos de su nueva vida. Ha soñado con bajar en la estación en Fassanen Park y caminar por una larga calle hacia la nada: no un lote vacío o una casa que no existe sino hacia la nada, como si alguien hubiera elegido clausurar la realidad, como si el dibujante encargado hubiera dejado la tarea hecha a medias, inconclusa, dispuesta simplemente para que alguien, ojalá ella, pudiera componerla y finalizarla a su acomodo.

Cuando se despide de Herr Ewald en el medio del andén, nota que se ha quedado sola y se asusta. Recorre el Hauptbahnhof arrastrando sus maletas y le sorprende descubrir unos trazos en su memoria. Como si hubiera pasado la página en la libreta en la que escribe y al intentar una oración el esfero cayera en un surco: lo que ve ahora no es visto con libertad, su mirada tropieza con ciertas marcas hechas en la superficie de los recuerdos y en cada cosa que ve aparece una presencia fantasmal. Observa desde la torre de la memoria y de un lugar recordado a otro va ordenando y verificando la realidad. ¿Qué es cierto? ¿Cuánto de lo que soy es cierto?

En la distancia ve la cabeza de Herr Ewald desapareciendo por el corredor que va al S-Bahn. Ella misma tomará ese camino en un par de segundos, pero ha decidido sentarse en una banca a descansar, a fumarse un cigarrillo, para tener tiempo de llegar.

Le gustaría llorar, pero hace mucho que no puede. Se imagina campeona nacional de nado sincronizado y se endereza en el asiento como correspondería a una deportista de talla internacional. Aspira el cigarrillo y levanta la nariz, e intenta imaginarse su perfil recortado contra el fondo azul de la piscina, ella y cinco más, tal vez menos, sonriendo al mismo tiempo y ejercitando con exactitud movimientos simultáneos y perfectos que borran en ellas cualquier marca de identidad. Sentada allí querría borrarlas todas, no haber inventado una identidad con la que nunca tendría que verse la cara. Aunque presentía que ese día llegaría, que tarde o temprano el pasado le presentaría una pequeña y discreta cuenta de cobro.

Antes de partir, recorre el Hauptbahnhof durante unos instantes. Va hacia el casillero y piensa en dejar sus maletas antes de tomar el S-Bahn, pero algo se lo impide. No puede dejarlas, se aferra a ellas como de un peñasco diminuto, como si entre ella y la nada que la espera lo único que hubiera fueran ese morral y la estúpida maleta de rueditas.

Decide finalmente depositar las maletas en un locker y caminar por los alrededores durante un rato: comprar un mapa, una botella de vino, unas flores quizás. ¿Sería mejor llamar primero? ¿Mirar en la guía telefónica la dirección, el nombre? Mjmmm. Ha caído otra vez en esa trampa. ¿Qué número? ¿Qué dirección? ¿Qué nombre? ¿Cómo esperar que en la guía telefónica de la realidad aparezca la ubicación exacta de algo que sólo existe en la imaginación?

Finalmente, se decide por las flores. En la estación, en el subterráneo, encuentra un pequeño local con rosas afuera de la puerta. «Tulipanes, deben ser en todo caso tulipanes», piensa. Hace diez años, cuando se marchó, le dejó a Christa encima de la mesa un enorme ramo de tulipanes de colores. ¿Qué mejor, entonces, que tulipanes para regresar? Regresar, Dios mío, qué miedo regresar.

Entra a la tienda y se detiene nerviosa ante las cestas de flores. Es verano. En realidad, no hay mucho de dónde escoger: sólo rosas blancas, naranjas, con el borde violeta o muy pequeñas y amarillas. Finalmente, se acerca a la vendedora y le cuenta su historia: «He venido a visitar a una familia que no veo hace diez años. Quiero algo bonito. ¿Qué me aconsejaría usted?» La dependienta le dice: «Etwas zartes. Algo dulce..., sí, algo dulce, algo con aire, algo que no pese, que gravite suavemente sobre la tarde y me ayude a llegar hasta la mesa, hasta la puerta del jardín, algo que necesite inmediatamente agua, que deba ser cuidado y protegido, que entre a la cocina sin permiso y se instale en la cotidianidad llevándome de la mano.

Tras elegir cada ramita, cada pequeña flor y discutir con la florista si este color o aquél interrumpirán la suave melodía que debería oírse al observar el ramo, Virginia aguarda confiando en que esta mujer entienda bien su historia, su miedo. Casi preferiría decirle: «Haga un ramo que le arranque una familia a la realidad, deme una familia, haga que existan».

Quince minutos después, mientras camina por las galerías apretando contra sí un paquete envuelto en papel blanco, recuerda una canción de infancia, una para dormir, e intenta cantarla en voz baja, sólo para sí, para quitarse el miedo o ahuyentar a los fantasmas, como ha oído que hacen los caminantes en las montañas del Tíbet. No sabe, sin embargo, si realmente escuchó la historia o si la inventó también; la realidad tiene a veces una cualidad imprecisa y desleída que la hace menos verídica que los cuadros que concreta la imaginación.

Intenta ver aquí o allá, entrar a un almacén, pero no puede. No puede. La mirada va de una cosa a otra, incapaz de detenerse o interesarse. El corazón salta. Se dice que tal vez es muy difícil pensar en comprar algo cuando no se tiene un lugar para llegar, uno al cual volver. O que el que nada tiene nada necesita, o que sólo el que nada tiene descubre que casi nada necesita.

Entra a una librería, una enorme. Intenta interesarse por los libros de historia, revisar las novedades. Si tuviera un libro consigo se sentiría mejor. Los libros son a veces un certificado de libertad para los solitarios, una visa que les permite viajar por el mundo sin compañía, transitar las calles completamente abandonados sin despertar, sin embargo, las sospechas de los otros transeúntes. Después de ver aquí y allá, se sienta en unas sillas rojas dispuestas para los clientes e intenta revisar sus selecciones como hacen los demás. Hojear un poco, leer un trocito aquí y allá. Imposible. Al final parece una huérfana apretando las flores y los libros, a punto de llorar y con ganas de decirle al vecino más cercano: «Discúlpeme; ¿sabe?, soy campeona nacional de nado sincronizado...».

Son las ocho. Virginia sabe que debe marchar, buscar las maletas, consultar el mapa, tomar el S-Bahn y llegar, ir a donde sea, pero ir ya, llegar a la calle, a la casa y timbrar. De lo contrario será demasiado tarde, el tren se habrá marchado, el mundo girará otra vez y las estrellas, esas que se volvieron a cruzar, se moverán de nuevo, abandonando la conjunción que ha permitido que el momento se repita. Como un eclipse, piensa, como la venida de un cometa: para vivirlo otra vez tendría que esperar el paso de diez años, tendría que vivir en la piel de otra vida. Abre los ojos, Virginia; ábrelos ahora.

Ligera, como si las maletas no pesaran, se mueve sin mirar hacia la escalera del S2. Comprueba la dirección —Holzkirchen— y aguarda en el andén a que el próximo tren sea finalmente el suyo. Una voz metálica anuncia la llegada. Trepa. Elige una silla junto a la ventana. Abre su cartera y esculca el fondo, identificando con el tacto la forma de las cosas. Encuentra una botellita redonda, fría, familiar. Toma una pequeña cantidad de perfume entre los dedos y lo lleva detrás de sus orejas. Lo unta con delicadeza, con paciencia, como si para hacerlo dispusiera de todo el tiempo del mundo. El aroma lo inunda todo, la obliga a cerrar los ojos. Piensa en madera, en campos de trigo, en plumas plateadas acariciándole la cara. Percibe una inmensa lentitud en su interior y, al mismo tiempo, un vértigo infinito de imágenes y destellos que se suceden y superponen. Está en el mar, sumergida en el fondo de un río, nadando en un pozo. Sin saber, ha esperado toda su vida por este momento; es un planeta que completa su órbita, una manzana que, madura, se desprende de la rama de un árbol.

—Abre los ojos, Virginia —susurra.

«Fassanenpark», anuncia la voz metálica. En su cabeza, el mundo se borra; es un gran lente curvo, un ojo de pescado: allí están la caja de colores, doce azules diferentes, once verdes, tres grises y cuatro casi blancos; el borde de la mesa, la tapa de un libro, el olor de la pipa, una línea debajo de un ojo azul vibrante que se acerca a ella como un delfín en el agua. En el jardín, una mujer de bronce lee un libro, una esfera dorada baila con el viento. Dos niñas ríen, el tapete es blanco, un hombre tiene el cabello gris y de cerca, de muy cerca, el borde de su abrigo se tiñe con la mancha de un rastro húmedo y redondo, Virginia estira la lengua y lo prueba, se lo lleva a la boca: una lágrima.

Frente a la casa, Oskar von Miller Straße Nr. 7, una mujer sujeta un ramo de flores y dos maletas. Tiene los ojos cerrados, se tambalea un poco hacia adelante y atrás, hacia la derecha y la izquierda. Acaba de llegar a casa y todavía no lo sabe. Qué importa entonces que nada de esto sea cierto, que nadie la haya adoptado de pequeña, que no haya crecido en absoluto en Alemania, que haya vivido aquí sólo un par de semanas, quizás apenas cinco o seis días cuando tenía dieciséis. Qué importa. Esa memoria le salvó la vida, esa pequeña memoria le bastó para vivir el resto de su vida. Ha llegado, está aquí.

Abre los ojos, atraviesa con ellos la verja del jardín, salta por la ventana de la cocina y busca ansiosa unas marcas borrosas en la puerta: su nombre no está allí y no necesita estar en absoluto. Virginia acaba de nacer, acaba de llegar al mundo. Con los ojos bien abiertos y observando a una mujer que se ocupa en la cocina, piensa: «Virginia H., 30 de junio de 2002».

ANDREA CHEER

Noches de absenta

De su boca brotaron dos aros de humo que lenta y delicadamente se transformaron en delgados hilos de luz.

—Es una farsa, una mentira, todo es mentira —dijo.

Miraba sus labios mientras pronunciaba —no sin cierto tinte de cinismo— esas tres últimas palabras. Por un momento pensé que se refería al título de aquella película española.

—También la vi, hace como tres años —añadí—. Sí, *Todo es mentira*, la recuerdo bien.

—No sé cómo explicarte, pero no hablo de la película: me refiero a mí. Lo que te he dicho esta noche mientras bailábamos, lo de la escuela de bellas artes, la muerte de mi abuelo en la cocina, los tres años de mi vida en Budapest y hasta mi nombre, TODO es mentira —retomó el joven vasco con una lamentable expresión de estupidez que le abarcaba todo el rostro, desde el pelo hasta los dientes.

Al término de su confesión, salí del bar impulsada por la velocidad de quien se ve expuesto a una vergüenza pública de magnitudes inimaginables y aspira a salvarse, la misma velocidad que sólo alcanza un ladrón sorprendido in fraganti (como si el ladrón fuese yo) y busca evadirse del revólver de algún policía (inepto): «Deténgase o disparo».

Me sentía tan absurda y ridícula, exactamente como pudo sentirse el personaje que representaba Jim Carrey en *The Truman Show*, como si de alguna manera toda la gente en el bar, Luz de Luna, supiera de antemano que era yo la infeliz elegida para servir de destinataria de todas las carcajadas de la noche. Salí del sitio y corrí. Corrí sin parar, corrí tanto que en algún momento incluso llegué a sentir que galopaba. Al galope certero avanzaba, gracias a unas largas patas oscuras y peludas inventadas por el pánico, hasta el punto de que ya no era yo la que corría sino mi sentimiento de pánico el que galopaba en mi lugar para salvar mi dignidad.

Aunque fue apenas anoche, no recuerdo en qué plaza me detuve. Busqué un teléfono y llamé a Camilo.

—Necesito contarte algo. Ven en seguida, por favor.

—¿Qué sucede? ¿Te ocurrió algo? ¿Estás en el centro?

—Sí, estoy aquí muy cerca, en la calle Comercio.

—Nos vemos en veinte minutos en la boca del metro.

—Te espero.

Camilo es el único en quien confío, el único al que considero mi amigo desde que estoy aquí. Lo conozco desde hace muy poco pero la vamos bien, nos reímos juntos y nuestra conversación es inagotable. Es arquitecto divorciado... divorciado de la arquitectura por culpa de otras aficiones como la animación, los efectos especiales en computador y el diseño de interfaces en esquemas multimedia. Físicamente tiene un parecido a John Travolta. Bueno, a decir verdad, solamente en la forma de los ojos y en el hueco diminuto pero profundo que tiene en todo el centro de la quijada.

—La voz que tenías cuando llamaste me sacó todavía dormido de la cama, porque ya iba cruzando el umbral del sueño número veintidós.

—¿Del sueño número veintidós?

—Sí, siempre sé a ciencia cierta cuántos sueños he tenido durante la noche; alguna vez conté hasta el 340, pero ese es otro rollo; dime qué te pasó.

Mi relato no fue más extenso del que se narró al principio de esta historia: un hombre vasco, de aproximadamente veintisiete años, con quien me entendí durante una noche de fiesta y humo en el bar Luz de Luna; luego, la mentira, la confesión y la huida.

Camilo meditó durante algunos minutos sus palabras de consuelo, pero al final se percató de que en ese momento nada de lo que él dijera podría hacerme sentir mejor.

—Ven, te llevo a un sitio. Un sitio que ni siquiera tu generosa imaginación puede intuir. Un lugar que sólo existe aquí y que no encontrarás en otra ciudad o en otro país, así andes por el mundo entero empeñada en la búsqueda de algo parecido. Queda incrustado en algún sórdido callejón del Raval, que no tiene ni siquiera nombre; una calle tan angosta que dos no podrían pasar cogidos de la mano; un pasadizo misterioso y miserable, peligroso y canalla de Barcelona. El sitio se llama Marsella, pero el principal atractivo del lugar consiste en que allí y sólo allí venden absenta.

—¿Absenta? —pregunté con los ojos abiertos, expresión inconfundible de ignorancia y evidentemente ávida del conocimiento más preciso sobre la materia.

—Sí, absenta, ese licor prohibido que ingerían los poetas malditos como Baudelaire y Rimbaud. Muchos de ellos, por obra del efecto alucinógeno de la bebida, cayeron en los más profundos abismos del coma etílico.

El ambiente del lugar pesaba sobre mis hombros y en seguida mis ojos se protegieron con lágrimas (que no derramé). Me ardían cada vez más a medida que me adentraba en aquella guarida, como si la mezcla entre el aire caliente y los olores y los vapores húmedos se clavara en ellos como pequeñas espinas de calor.

El recinto estaba atestado de gente que bebía casi compulsivamente un trago tras otro. Sonaba algo de música pero la misma quedaba rezagada, casi borrada del todo por el manto denso de las voces, los gritos y los latidos violentos y estridentes de cientos de corazones ebrios de absenta.

El público: unos sentados, otros de pie, otros sentados encima de aquellos que estaban de pie y algunos acomodados en las piernas de los pocos que estaban sentados. Se divertían y gozaban hasta la piel del alma, o al menos esa era la impresión que daban. Jugaban a quererse y a ser idiotas, medían fuerzas codo a codo sobre las mesas y sonaban los pasos y retumbaban con eco las carcajadas contra los muros. Era un territorio de mil conquistas prohibidas, un basurero de frustración y de sueños rotos.

Tuve suerte. Una pareja abandonó su silla y en seguida me senté. Minutos después llegó Camilo con dos copas servidas a la mitad, dos tenedores y dos cubitos de azúcar envueltos en papel.

«Existe un rito de iniciación para beber absenta», dijo Camilo. Noté algo de solemnidad en su tono de voz y como una humilde aprendiz seguí al pie de la letra todas sus instrucciones.

«Debes poner el tenedor en posición horizontal sobre la parte superior de la copa, luego destapas el cubito de azúcar y lo pones sobre los dientes del tenedor. Ahora lo inclinas hacia abajo, permitiendo un baño muy leve del azúcar en el licor, un primer encuentro, un simple roce. En seguida prendes un fósforo de madera (el fósforo tiene que ser de madera) y lo acercas al azúcar hasta producir una llama intensa de caramelo, y dejas caer el cubito de azúcar (ya en llamas) hasta el fondo de la copa. Verás cómo pronto se disuelve y desaparece sin dejar rastro. Según lo explica la leyenda, el cubo de azúcar simboliza al poeta en su caída. Su lenta y solitaria caída en las tinieblas de la inspiración. Absenta, *absence*, ausencia, alucinación».

Bebí tres sorbos y en cada uno me llené la boca de licor hasta tocar esa válvula fantástica que fija el límite con la garganta. Hubo más euforia que visiones, más palabras, menos olvido, menos afán, más risa, menos prejuicios, más alas y menos celdas. Mi cerebro se movía de un lado para el otro de mi cráneo, como se mueve un barco en el océano durante la tormenta; un barco inmenso y brillante, de colores claros, que se balancea con gracia, como las nubes se balancean también en los enormes salones del cielo.

Me sentí a gusto en ese mar, en ese barco, en ese cielo, quizás porque después de esa noche en el Marsella, supe que también en mí hay algo de todo eso.

MELISSA DÍAZ

El perro eléctrico

Tengo la cabeza recostada contra la ventana de un taxi. Es un día gris, frío. En la avenida se estacionan dos patrullas, una ambulancia y un carro de bomberos. Un tipo quiere suicidarse lanzándose desde un puente. La policía y los bomberos tratan de impedírselo. El taxi está detenido desde hace más de cinco minutos. Recuerdo la tarde en la que me fijé en Patrice.

Yo dibujaba caballos a lápiz en una hoja blanca. Sobre el pupitre que estaba al lado, vi unos dedos largos y finos. Debajo de los dedos había un cuaderno azul que tenía escrito en la portada:

Patrice Hernández
«Clairefontaine, París, papier velouté».

Como había vivido tres años en París cuando mi padre cursaba estudios de cine en la Sorbona, sentí curiosidad y pregunté, en voz baja, al dueño de los dedos:

—¿Has estado en Francia?

—Sí —me respondió sin mirarme.

Patrice había vivido en Francia, Hong Kong, Ecuador, Marruecos y ahora Colombia. Conocía países como

Tanzania, Senegal y Egipto. La señora Hernández pensaba que sus hijos serían hombres de bien y cultos si viajaban mucho y dominaban varios idiomas. Patrice tenía amigos en todas las esquinas del mundo. En sus continuos viajes había aprendido italiano, inglés y un par de dialectos, aparte del francés y el español que había aprendido en la infancia. Para haber atravesado medio planeta y saber tantos idiomas, no se veía como un «chico de mundo». Era alto y flaco. Sentado parecía un muñeco desvencijado. Cuando caminaba los brazos le colgaban inútiles y se balanceaban a destiempo en relación con sus piernas. Era un chico dulce y tímido que reía con ganas.

La semana siguiente, a la salida de clase, Patrice organizó un partido de baloncesto. Me senté sobre unas escalinatas que estaban al lado de la cancha. Alguien se sentó cerca. Era Hans, un amigo de Patrice.

—¿No vas a jugar? —le preguntó Patrice.

—No, prefiero mirar.

Hans usaba gafas redondas, llevaba el cabello muy largo. Era un chico de carácter suave, que nunca hablaba de más.

Armaron dos equipos. El juego comenzó. Patrice tomó el balón, corrió hasta la mitad de la cancha tumbando a dos jugadores del equipo contrario y, dándole la espalda a la canasta, encestó sin que nadie pudiera arrebatarle el balón. Después de un rato el balón era suyo de nuevo. Saltó e hizo un giro en el aire, estiró los brazos y encestó por segunda vez. Reía a carcajadas cada vez que alguien fracasaba en su intento de quitarle el balón. Me gustaba como sonaba su risa. Jugaba con furia, eso le daba poder y resistencia. Mientras discutían acerca de quién iba a remplazar a uno de los jugadores que se golpeó, Patrice se acercó a las escalinatas y quitándose la camiseta me dijo a la manera de un héroe de cómic:

—Si eres astuta, no me querrás como enemigo.

Luego sonrió, dejándome ver los dientes. Un diminuto hilo de sangre bajaba por una de las cejas. El pelo dorado le brillaba con el sol de la tarde y le caía en desorden sobre la cara. El juego se reanudó. Patrice no se detuvo. Corrió como un animal salvaje en medio de una estampida. Yo miraba el partido casi sin parpadear, me mordía las uñas. Estiraba las mangas de mi saco, me abrazaba las rodillas. Podía percibir los latidos de su corazón, el calor que emanaba de su piel. Cerraba los ojos. Imaginaba caballos sudorosos que galopaban bajo el sol ardiente, sobre una pradera inmensa e inundada de flores rojas como bocas abiertas. Bocas que deseaban devorar las patas de los caballos. Sobre uno de ellos, el más negro y veloz, estaba yo. El caballo se detenía. Me tumbaba sobre la hierba. Tenía una falda que me llegaba hasta la mitad de las piernas. Un rayo me calentaba los muslos. Abría los ojos. Hans permanecía a mi lado, mirándome. Se veía triste, abatido. En el patio, la sombra de los árboles era cada vez más larga y el aire, más fresco.

—Hace frío. ¿Quieres mi chaqueta? —me preguntó.

—No, Hans, estoy bien —respondí distraída.

El rostro de Patrice estaba húmedo, sus labios rojos, su cabello alborotado se le movía sobre la cara con el viento. Me ignoraba. Hans volvía a mirarme. Ahora, no sabía si Patrice era el chico malo de la cuadra, el que no tenía inconveniente para hacerte el amor en el cajero automático o el que creía en un mundo feliz: si haces bien tu trabajo, lograrás tus objetivos. ¿Crees que conoces el mundo porque has recorrido en carro desiertos, selvas, zoológicos y porque además hablas muchos idiomas? ¿Te sientes orgulloso porque te da lo mismo el baño de un hotel cinco estrellas o una letrina cerca de un pantano infestado de mosquitos?

Pensé que Patrice podía llegar a ser mi cómplice, mi amigo. Al igual que yo se resistía a crecer, a ser adulto. Era un niño grande, un soñador, una criatura de otra galaxia enviada por error a la Tierra. Era inocente y sabía ser feliz. Su vida era un cuento con final feliz o triste pero al final un cuento. Pensé: «Somos almas gemelas. Jugamos el mismo juego pero en terrenos distintos. Tú quieres jugar a ser el duro del baloncesto, ya sabes, desarmas a los jugadores haciéndolos parecer tontos. Yo quiero ser une fille fatale, desarmarte también, penetrar con furia tu corazón». El idiota confundía las cosas, pensaba que yo sólo quería divertirme, que sólo quería «pasar buenos momentos con él». En los ascensores, le respiraba cerca de la nuca o le pellizcaba una nalga. Le regalaba chocolatinas y figuritas en origami. Una tarde, le entregué una nota que decía:

«Creo que eres muy bueno jugando baloncesto, quisiera jugar contigo alguna vez. Me gusta como te ríes y creo que tú también me gustas. Ayer te escribí algo cuando tratada de estudiar para el examen: "Quizás existió un tiempo o un mundo paralelo en donde tu risa era el sonido del mar. Allí vimos por primera vez las luces azules y rojas del invierno"».

Cuando le envié la nota, él me miró tímido. Entonces yo saqué una colombina y la chupé como si lo estuviera besando. Si lo veía en la biblioteca, tras un estante hojeando un libro, pegaba mi cuerpo contra el suyo. Me gustaba halarle los vellos de las piernas. A veces me sonreía y decía con ternura:

—Estás loca.

Otras veces se retiraba enfadado. Yo lo seguía. Empezábamos, entonces, discusiones interminables:

—Tú quieres jugar conmigo. No me tomas en serio. ¿Soy tu juguete de turno, niña? —preguntaba.

—No —respondía yo triste—. ¿Qué se necesita para que alguien comience a gustarte? ¿Meses, años? ¿Tener eternas e interesantes conversaciones en un café bohemio de quinta categoría? ¿Hablar de la deuda externa, de Fassbinder, de Kant?

Tratada de hacerle entender que no importaba si habíamos hablado mil noches o un par de veces, que podía sentir su ki con sólo mirarlo, que el amor lo atraviesa todo y que en el amor las conversaciones interesantes sobran. Me sentí ridícula. Al parecer, yo era una acosadora.

Cuando Patrice y Hans hablaban retenía de memoria lo que me interesaba de la conversación, intentando obtener cualquier información que me resultara útil para armar una imagen de Patrice. Una imagen que construía todos los días, que se iba llenando de matices inesperados, que se deformaba y que a veces se borraba por completo y tenía que ser reconstruida de nuevo. Él me movía las fibras, algo dentro, muy dentro. Era tan tonto como yo, tan héroe como yo. Amaba cada cosa que hacía, sus risotadas llenaban cualquier lugar y prendían chispas en el corazón. Habíamos subido a la azotea de su edificio a mirar estrellas. ¡Qué ciegos somos a veces, y qué estúpidos! Algo en él me traía recuerdos de la infancia. Sabía canciones infantiles en francés que mi papá me había enseñado de pequeña. Había hecho muñecos de nieve como yo junto a su padre y lo amaba profundamente como yo había amado al mío en los días felices de la infancia. De niña, disfrutaba el invierno, la nieve era tan blanca. Me gustaba recoger copos de nieve para luego regalárselos a mi papá. Los metía en una cajita roja de plástico donde mi mamá echaba la merienda. Al llegar a casa sólo había agua, pero mi papá podía imaginar la nieve. Me cogía entonces de la mano y me llevaba hasta el jardín. Hacíamos guerra de nieve. Mamá nos regañaba porque sus zanahorias terminaban siendo la nariz de los muñecos que papá y yo hacíamos. Su padre y el mío se encontraban ahora lejos. Sólo con él podía hablar de las luces rojas y azules del invierno. Un día lloramos. Me tomó la mano, la trajo hacia él y me dijo:

—Tu piel, tan blanca como la nieve.

Después de un silencio prolongado, le pregunté:

—Patrice, ¿algún día me querrás, un poquito?

—Yo te quiero pero como una amiga, yo nunca me voy a fijar en ti, no eres mi tipo de chica.

Entonces me alejé, no quería sentir dolor. Pasaron semanas en las que sólo nos saludábamos ó hablábamos acerca de lo difícil que era una tarea o de lo nublados que estaban los días.

Descubrí por qué yo no era su tipo de chica un día en que fui a su casa a recoger un libro. Vi recostada en su cama a una mujercita que se hacía llamar Lulú. Cuando saludaba, se empinada inclinándose un poco con las manos entrelazadas y las movía hacia adelante y hacia atrás. Luego las soltaba, las levantaba y las agitaba en todas las direcciones. Todo esto lo hacía en menos de cinco segundos, luego de los cuales soltaba un hola con voz almibarada. Si decía algo que a ella le parecía chistoso reía mostrando los dientes y apretando los párpados y mantenía el gesto largo rato como si le estuvieran pagando por hacerlo. Trataba siempre de mostrarse alegre y confiada, tenía un repertorio de canciones pop que cantaba dando brinquitos y ladeando la cabeza. Tenía una cara bonita, sería una gran mamá y una buena esposa. Para eso la naturaleza la había ayudado dotándola con enormes y blandos pechos que rebotaban al ritmo de sus brinquitos.

Un día Patrice me invitó a su casa. Salimos. Tomamos un bus que nos llevó a las afueras de la ciudad. Llegamos a un valle. Luego subimos por una pequeña colina. Tenía las manos en los bolsillos. Caminaba mirando el piso. De pronto, sentí que algo me hacía cosquillas en la mejilla. Giré un poco la cara y vi una rama llena de hojitas. Continué caminando, aceleré un poco el paso. Patrice seguía molestándome.

—Ya déjame —grité.

—No —dijo desafiante.

Tropecé con una piedra, me resbalé y caí sobre las manos. Me levanté rápido y sacudí el polvo del pantalón.

—Eso les pasa a las tontas.

Intenté quitarle la rama. Sólo logré arrancarle unas hojitas. Corrí. Sentí deseos de reír. Me tapé la cara con el pelo. No quería que me vieran, no quería sentirme vulnerable. Me seguía. Me hizo una zancadilla y cayó sobre mí. Incliné la cabeza hacia atrás y me arqueé, ofreciéndole el cuello y el pecho al verdugo. Nos miramos. Un gesto en su cara me dijo que algo andaba mal. Quizás estaba pensando en Lulú. Lo aparté y me levanté rápido. La tarde comenzó a caer. Al final del valle, el cielo estaba gris. El viento agitaba las ramas de los árboles. Llovía, no muy fuerte. Nos tumbamos en el pasto. Las nubes formaban figuras y se movían veloces. En el fondo del valle había una tormenta eléctrica que avanzaba hacia nosotros. Los relámpagos iluminaban las nubes.

—Patrice, ¿a qué se parece esa nube? —le pregunté curiosa.

—A un perro.

Un rayo atravesó la nube.

—Ahora parece un perro eléctrico —dije riendo.

La tormenta estaba casi encima. Decidimos volver. Patrice me invitó a pasar la noche en su casa. Acepté. Estábamos mojados. Prendimos la chimenea. Nos quitamos los calcetines y los zapatos y los pusimos cerca del fuego. Abrimos una botella de vino, me senté en un rincón, fumé y bebí. Jugueteé con el humo y a veces me levantaba para reavivar el fuego. A medianoche, Patrice se despidió y subió a su alcoba. Quería seguirlo. Preferí esperar. Bebí más vino y chupé un par de mentas para quitarme el sabor a cigarrillo. Después de un rato decidí subir. Estaba algo ebria. Al final de las escaleras tomé aire. La luz de su cuarto estaba encendida. Toqué a la puerta. Patrice abrió. No parecía muy contento. Lo seguí hasta el baño. Estaba lavándose los dientes. Me acerqué por detrás, le levanté la camisa y lo apreté contra mí mientras él continuaba cepillándose los dientes. Se inclinó para tomar agua, limpió el cepillo y se secó los labios con una toalla. Seguía abrazada a él. Me apartó suavemente y me miró.

—¿Qué te pasa? —preguntó algo molesto.

Nos sentamos en la cama. Puse las manos extendidas sobre sus ojos y las deslicé lentamente hasta tocarle los labios. Le tomé una de las manos y la llevé hasta mis labios, le besé los dedos. Le quité la camisa y me incliné para acariciarlo con el cabello. Él permanecía inmóvil y con los ojos cerrados. Hundí la punta de la lengua en sus orejas. Me detuvo, cogiéndome de las muñecas. Me sacudió por los hombros y me preguntó:

—¿Qué voy a hacer contigo?

Recordé, entonces, que en esa misma cama conocí a Lulú, que él estaba enamorado de ella. Lulú, una niñita que lo único que hacía era repetir lo que decía su profesor de política internacional, que nunca en su vida

71

había visto la nieve. Me acomodé el cabello, le di un beso en la mejilla, me levanté de la cama y le susurré al oído:

—Patrice, te quiero; que sueñes con los angelitos.

Traté de levantarme, pero Patrice me cogió de nuevo por el brazo.

—Voy a soñar contigo

—Yo no soy un ángel —le dije y salí.

Me levanté temprano y me marché sin despedirme.

Tres días después, estaba tirada en el pasto leyendo para mi clase de teatro. Algo me hizo sombra en el libro. Alcé la cabeza y vi a Patrice.

—¿Por qué te fuiste sin decir nada? —me preguntó.

—No estoy muy segura, sólo me fui y ya está.

—Valentina, ¿qué pasa contigo?

—Patrice, no me pasa nada. Yo sé que tú quieres a Lulú.

—Sí, es verdad, pero tú sabes que hasta ahora no he logrado que ella me quiera, ni siquiera un poco. Me parece muy lindo que tú tengas en cuenta lo que yo siento por Lulú. Estuve pensando mucho en ti este fin de semana y sabes, yo nunca me voy a olvidar de ti porque contigo he descubierto cosas de mí que no conocía.

Lo interrumpí.

—Patrice, me voy, tengo ensayo de teatro y no puedo llegar tarde.

Recogí el libro y me marché.

Después del ensayo fui a la cafetería a tomar té. En la mesa de enfrente estaba Lulú. Sobre la mesa había un libro que decía en el lomo: Análisis de Proyectos de

Inversión. Charlaba y reía con un chico que gesticulaba y movía las manos como si estuviera dando un discurso. Ella no le quitaba los ojos de encima, no pestañeaba, era como si estuviera viendo a un dios. Luego de un rato se levantaron y se fueron. Él la rodeó con un brazo, cogiéndola por la cintura.

Esa tarde Hans y yo salimos juntos de clase. Llovía. Las calles estaban inundadas. Hans abrió su sombrilla averiada que se combó hacia arriba con el viento. Luego me tomó por el brazo, tratando de hacer que la sombrilla me cubriera. A pesar de la lluvia, había algo alegre en la calle. Me subí sobre una barda. Me gustaba mirar las sombrillas de colores desde arriba, era como si flotaran solas sobre el piso. Caminamos por largo rato en silencio, tambaleándonos y saltando por encima de los charcos. No hablábamos pero reíamos. La sombrilla se transformó poco a poco hasta quedar convertida en un enredijo de varillas, como si la lluvia tuviera un ácido que hacía derretir la tela, oxidar y doblar el metal. La punta de las varillas ya no sostenía la tela sino que se enredaba con la ropa. Nos detuvimos en la entrada de un teatro y decidimos ver una película. Estábamos empapados, teníamos sólo lo de la entrada.

Llegó la época de exámenes finales. Hans y yo nos reuníamos para estudiar. Descansábamos, tomando té con galletitas. A veces Hans sacaba su guitarra y tocaba para mí.

Un día me sentí cansada. Había estudiado toda la semana y los ensayos duraban hasta muy tarde. Salí de casa y tomé un taxi. Estaba en ese taxi ahora, enfrente de una muchedumbre. Sentía que la carrocería me estrujaba, que no podía respirar. El tipo que quería lanzarse del edificio no podía ser jamás alguien como el donjuán que estaba en la cafetería con Lulú. Los chicos como ese tienen siempre carreras brillantes, y una esposa obediente y bonita que llevan a las reuniones sociales. Quién con una vida útil y perfecta querría estrellar sus sesos contra el duro asfalto. Pagué y caminé un poco atolondrada. Los curiosos satisfacían su morbo especulando acerca de los motivos que podía tener un X para estar a treinta metros de la muerte. Una anciana con un enorme forúnculo en el párpado izquierdo se tapaba el rostro, dejando un minúsculo espacio entre sus torcidos dedos. Huí. Llegué a un parque. Me senté en una banca frente a un carrusel y recordé que de niña me encantaba montar en carrusel. En un álbum había una foto mía montada sobre un caballo. La foto la tomó mi padre. En ella era feliz, reía. Me dolía pensar que por mi edad ya no me dejarían montar y aun cuando me lo permitieran mi padre ya no estaría ahí para tomarme la foto.

Cuando pienso en mi niñez se me abre un hueco que me deja incompleta. Me pregunto si no he desperdiciado el tiempo tratando de recoger pedazos del pasado, tratando de construir mi vida alrededor de algo que ya no existe. Entonces me siento poca cosa. Quería que Patrice fuera como un atajo para volver a mi infancia, pero después del atajo no encontré camino. Él trajo a mi memoria algunos recuerdos. Las tardes en los hombros de mi papá en donde las copas de los árboles ya no parecían tan lejanas, los guantes cosidos por mi mamá en el puño de mis chaquetas de invierno (el invierno de París, cuando mi papá estudiaba en la Sorbona). Pero Patrice, al igual que mi padre, ya no está. No vale la pena tratar de reparar algo de lo que ya ni siquiera tienes las piezas. A veces las cosas sólo son claras con cierta luz, un cierto día.

La risa de Patrice aún me persigue, cuando el carrusel del parque se pone en marcha y la música empieza a sonar y los niños gritan y ríen y los padres saludan y los caballos relinchan y los leones rugen. Toda esa maraña de sonidos es como la estentórea risa de Patrice, algo que me atraviesa y me deja al borde del camino, algo que produce ganas de rodar por el pasto hasta estrellarse y descalabrarse contra las piedras.

MERCEDES GUHL

—

Encuentros lejanos de cierto tipo

Antes de quedarme dormido, me estiré en la cama como un gato perezoso. Luego de más de cuatro meses de escribir cartas y hacer llamadas telefónicas, el Encuentro de Ciencia Ficción estaba listo, y Brad Raymonds en carne y hueso, el escritor que había creado la increíble saga de la llegada del hombre a Júpiter, lo inauguraría al día siguiente. Al fin se me habían acabado esas noches de incertidumbre, esperando que en cualquier momento alguien del comité organizador me llamara a contarme que Raymonds no vendría por razones de orden público, o de salud, o por otros compromisos verdaderamente importantes. Y me debí quedar dormido con una sonrisa de satisfacción.

Al día siguiente me desperté desencajado. Había tenido sueños raros... como esas pesadillas que solían asustarme a los cinco años, sólo que ahora contaba veinticinco y parecían haber crecido conmigo para volverse más aterradoras.

Me fui a la universidad a ayudar a preparar los últimos detalles de la conferencia. En la secretaría, Tatiana hablaba por teléfono con alguien de la embajada gringa y ponía ojos asustados. Sí, que Raymonds podía entrar y salir del auditorio por una puerta lateral... Sí, que el carro de la embajada sí lo podía llevar hasta la misma puerta, de manera que el señor no anduviera desprotegido por la universidad.

Los ojos de Tatiana me hicieron recordar un retazo del sueño... los ojos aterrados de unos niños que veían por televisión la explosión de una bomba atómica. Y después vi mis propios ojos como reflejados en un espejo, jugando a ser duros... como cuando hacía planes para que la hecatombe nuclear no me matara y construía refugios y armaba botiquines y reservas con lo que podía conseguir, aunque en los artículos que había leído se decía que para sobrevivir a la radiación y sus efectos se necesitaban cosas muy sofisticadas. Me daba miedo pensar en eso, pánico. Pero al mismo tiempo esa vecindad de un fin inminente me hacía sentir fuerte. En el sueño yo estaba metido en uno de mis refugios, pensando aterrorizado en el teléfono rojo que daría la orden de detonar la bomba. Y después todo se esfumó y vino lo que siempre me curaba de la pesadilla atómica: los viajes espaciales. Tatiana y yo habíamos jugado a los astronautas casi todos los días hacía años. Nos gustaba inventarnos nuevos planetas. Planetas verdes cubiertos de bosque, planetas con civilizaciones avanzadas y pacíficas, planetas desiertos y planetas líquidos donde dejábamos que la nave se meciera con las olas mientras trazábamos un nuevo rumbo espacial.

—¿Qué le pasa, Antonio? —me interrumpió Sergio—. Bájese de la Luna y ayúdeme a pegar estos carteles en los alrededores del auditorio, a ver si por una vez logramos que la gente se organice en una sola fila para entrar.

Asentí y cogí el rollo de carteles. Sergio también había jugado con nosotros, pero sólo a veces. Él prefería jugar a los revolucionarios y soñaba con lograr que se prohibieran las armas nucleares cuando fuera grande. Si jugábamos con él, los viajes espaciales tomaban cierto aire político y él terminaba siendo un astronauta guerrillero que defendía a los rusos contra todo.

Fui pegando los carteles... Brad Raymonds... el famoso autor de *Crónicas de Júpiter*... Auditorio León de Greiff, 2 p.m.... y en letras rojas «Las puertas se abrirán a la 1:45, mantenga la fila sobre la línea blanca», y habían pintado una línea blanca y gruesa desde la puerta, dándole la vuelta al edificio, hacia la entrada de la 45, para evitar tumultos. Afortunadamente yo no tenía que preocuparme por hacer fila. Tenía un puesto reservado como miembro del comité organizador e iba a poder estar cerca de Raymonds, tan cerca que alcanzaría a verle el fondo de los ojos.

A la 1:45 empezó a llenarse el auditorio. Desde mi puesto en primera fila vi cómo la gente se iba apretujando más y más allá arriba. Se sentaban en el suelo, de a dos en silla, unos se ofrecían a cargar a otros, y se oía el ruido inconfundible de la multitud que trata de convertirse en una sola masa uniforme para llenar por completo el volumen que la contiene. Cuando Raymonds salió a ocupar su silla, en el escenario sonó un aplauso atronador. Lo extraño es que el ídolo que había congregado a toda esa gente era un viejo de pelo ralo y gafas de fondo de botella, escuálido y paliducho. La intérprete venía tras él y se sentó a su lado. El viejo abrió la boca y habló con voz gangosa por el micrófono.

—¿No es cierto que uno no se imagina las *Crónicas de Júpiter* contadas por esa voz?

Tatiana asintió y me hizo un gesto para que me callara. No se quería perder ni un detalle. La voz habló en inglés, obviamente. La intérprete cumplió con su labor y transmitió el saludo de Raymonds, que estaba sorprendido por la acogida. La masa guardó silencio, un silencio de cierta decepción. Raymonds estaba ahí, frente a nosotros, pero nos tenía que hablar a través de una mujer que supuestamente nos transmitía al pie de la letra lo que él decía en inglés. Eso no era exactamente lo que nos habíamos imaginado. Como solía suceder, habría que conformarse con las migajas.

Y empezó la conferencia. Raymonds habló de sus sueños de niño, de sus viajes espaciales imaginarios en una época en la que eso era casi un delirio, de cómo había escrito las *Crónicas de Júpiter* en medio de la fascinación del planeta entero con el experimento de la perrita Laika y con la sonrisa de Yuri Gagarin tras el casco de cosmonauta. En ese momento, Raymonds pensó que tal vez no era una locura suponer que el hombre llegaría algún día a Júpiter y lo colonizaría. Recordó la pasión con la que había seguido la conquista de la Luna. Según él, con la posibilidad de los viajes espaciales el hombre había vuelto a ser niño... y nosotros lo mirábamos alelados. ¿Sería posible que este anciano compartiera con nosotros, niños de los años sesenta, los sueños y los juegos?

El hechizo de Raymonds se rompió con un ruido en un extremo del escenario. Un grupo de mechudos vestidos de negro se trepó al lado del viejo. Él se calló y uno de los mechudos cogió el micrófono que estaba sobre la mesa. Habló y al instante todos reconocimos la típica entonación del saboteador.

—Compañeros, este ilusionista que tenemos aquí —señaló a Raymonds con un dedo acusador—, presidente honorario de todo su gremio, nos encandiló con un futuro que no era real y así destruyó la posibilidad de realización de toda una generación. Por eso, compañeros, venimos a despertarlos de ese sueño ingenuo que estos imperialistas nos vendieron y que nos tragamos como una carnada engañosa.

En ese momento, un gringo grande, que debía ser una especie de guardaespaldas de la embajada, se acercó al tropelero del micrófono. Miró a Raymonds, y el viejo le hizo un ademán para que lo dejara seguir hablando. La intérprete se veía acelerada, explicándole lo que decía el mechudo. Como tratando de proteger al primero, otro de los saboteadores se acercó y arrastró al del micrófono al otro lado del escenario. Entre la multitud empezaban a oírse gritos que pedían orden y silencio. El tropelero tomó aire y volvió al ataque.

—Esas historias gloriosas de los viajes espaciales eran pura propaganda que sólo buscaba preservar un sistema y desviar la mirada del acontecer mundial. Así los imperialistas pudieron apoderarse de las estructuras. Las historias no eran más que delirios de un montón de desadaptados, que se vendieron para distraernos. Y todos los que nacimos en la época de los viajes espaciales caímos en la trampa que ustedes nos tendieron —y señalaba furioso a Raymonds, que lo miraba sorprendido pero tranquilo—. Nos ilusionamos con las posibilidades que ofrecía el espacio y allí pusimos la mira.

Otro gorila de la embajada se acercó al tropelero, pero Raymonds insistió en que lo dejaran hablar.

—Se nos acusa de ser una generación escéptica, pero ¿para qué preocuparnos por arreglar el planeta si en los que estaban allá lejos podríamos empezar desde cero?

Algunas voces dentro del público dieron gritos de aprobación. Raymonds se había puesto de pie y caminaba hacia el que hablaba, arrastrando con él a la intérprete. Uno de los gorilas lo seguía y el otro hablaba con un pelirrojo que tenía pinta de ser funcionario de la embajada. El tropelero siguió con su perorata.

—¿Por qué íbamos a preocuparnos por política o por ecología si las utopías no eran para la Tierra? La humanidad terminaría por abandonarla una vez que sus recursos estuvieran agotados. Usted convenció a sus lectores de que los planetas eran artículos de consumo, y nada más.

El público empezó a alborotarse. Hasta yo me entusiasmé con lo que decía el tipo. Atrás se oían gritos de «consumista», «derrochador», «antiecológico» y un coro profundo susurraba «mentiroso, mentiroso». Raymonds llegó al lado del mechudo, pero éste lo evitó y salió corriendo con el micrófono, como un cantante de rock en medio de un concierto.

—Por eso vengo a proponerles que condenemos a muerte a Raymonds como escritor —abrió los brazos para abarcar a todo el público—. Todos ustedes deben haber leído su novela sobre la quema de libros. Aprovechemos su idea para volverla contra él, haciendo una cacería de libros de ciencia ficción y quemándolos en una gran hoguera. Así evitaremos que se inmiscuyan en los ideales y la libertad política de otras generaciones.

Creo que sólo los que estábamos en las primeras filas oímos el final de la perorata. En la parte alta ya se había armado una pelea entre los partidarios de la quema de libros y los defensores de Raymonds y su especie. Los que estaban en el escenario miraban hacia el público con cara de preocupación, como quien ve el derrumbe de una montaña. Y finalmente los gorilas se acercaron a Raymonds, cada uno lo cogió por un brazo y se lo llevaron casi alzado del escenario. Él se resistió y mientras se lo llevaban miró hacia atrás, desvalido. Por la puerta salieron los gorilas con el viejo, la intérprete y los otros personajes del escenario. Un profesor consiguió un megáfono y pidió que desalojáramos el auditorio. Arriba se oían gritos y amenazas.

Tatiana y yo nos miramos sin entender bien qué había pasado. Era como si hubiera explotado la bomba atómica. La gente peleaba por salir y las voces gritaban los viejos gritos de las manifestaciones, que sonaban sin sentido. «Yankees go home», «Abajo el imperialismo gringo». Cogí a Tatiana del brazo y en lugar de abrirme paso por el pasillo, por entre la multitud enfurecida, me subí al escenario y corrimos hacia la puerta trasera. No encontramos a nadie en los corredores.

Salimos al aire libre, amenazaba con llover y no se veía nada raro. No estaban ni la camioneta con escolta en donde había llegado Raymonds, ni un profesor o ni siquiera una secretaria. Sólo vimos a un encargado del auditorio que vino a cerrar la puerta cuando salimos.

—¿Y ahora qué? —preguntó Tatiana como si le acabaran de romper su juguete preferido.

Miré el reloj: todavía no eran las tres. Si se armaba revuelta era mejor irse de allí, buscar un refugio en otra parte.

—Vamos a cine —fue lo primero que se me ocurrió. Como si la oscuridad del teatro nos pudiera cobijar—. O te llevo a tu casa.

—No quiero llegar a mi casa, no quiero tener que pensar en esto... ¿Irán a cancelar el resto del encuentro? —me preguntó Tatiana.

—No sé. ¿Vamos a la rectoría?

Tatiana negó y huimos hacia la 26. Yo no podía sacarme de la cabeza la voz del mechudo. Todo tenía el mismo tono confuso y aterrador de mi sueño de la noche anterior. Niñitos con miedo, niñitos que soñaban

84

con otros mundos, niñitos que no sabían qué hacer en su mundo devastado y caótico...

Una buseta nos llevó a los cines de la 24. No había mucho que escoger... era una temporada de películas malas. Tocaría una de acción, de las de puros puños y persecuciones, o una de esas que vendían porno suave tras un empaque de cine erótico. Acabamos en una de espionaje, y la oscuridad nos protegió por un par de horas.

A la salida llovía y nos fuimos caminando hasta la casa de Tatiana. El primer bus que pasó y nos salpicó con agua de charco me sacó una retahíla de insultos, pero el agua limpia que nos chorreaba por la cara nos fue lavando esa porquería y la que habíamos acumulado durante la tarde. Cuando se nos pasó el frío y sentimos que los charcos nos entibiaban los pies, empezamos a cantar.

La mamá de Tatiana debió pensar que estábamos borrachos cuando nos abrió la puerta.

—Parecen un par de criaturas. Tatiana, ve y te cambias y le buscas algo que ponerse a Antonio. Toñito, ¿quiere que le prepare una agüepanela?

Le dije que sí. Como cuando éramos chiquitos. Tatiana preguntó si Sergio había llamado. No. Pero todavía era temprano y podían seguir en «deliberaciones» en la rectoría. Sergio ya nos contaría. De pronto ni siquiera había habido tropel por cuenta de los delirios espaciales de Raymonds y de su especie.

El cambio de ropa me cambió el ánimo también. Los sueños espaciales fueron a parar al cajón donde se guardan *Viaje a las estrellas* y la *Guerra de las galaxias*. El hermano de Tatiana estaba luchando con un espantoso mapa de geografía y nos pusimos a ayudarle. Cuando me fui a mi casa, pasadas las once, Sergio no había llamado. ¿Serían malas o buenas noticias?

Una vez en mi cama me dio miedo dormirme. No quería tener pesadillas otra vez, ni volver a ver la cara seca y pálida de Raymonds, ni la expresión agresiva del mechudo, ni bombas ni espías... La musiquita neutra de algún programa de medianoche en el radio me adormeció.

Sergio llegó en medio de mi desayuno, con cara de profeta. Tenía que contarnos lo que había pasado porque ni él mismo lo creía. Fuimos caminando hasta donde Tatiana y también le interrumpimos el desayuno. Su mamá, con ese sentido de familia que cobijaba además a los amigos de sus hijos, nos dio café con leche y pan. Sergio empezó a contar.

—Raymonds va a publicar otro libro —y se calló para ver el efecto de sus palabras.

—¿En serio? —le dije—. ¿Y usté cómo sabe?

—Porque ayer lo dijo.

Tatiana lo miró confundida.

—¿En la conferencia?

—No, por la noche. Después de ir a la rectoría y enterarme de que finalmente no cancelarían el encuentro, me ofrecí a llamar a Raymonds para ver en qué ánimo estaba.

—¡Mucho sapo, Sergio!

—Cállate, Toño, que yo habría hecho lo mismo si se me hubiera ocurrido —dijo Tatiana y me dejó sin palabras—. Uno no está todos los días con un personaje así. ¿Y qué pasó?

—Pues el viejo se oía muy raro por el teléfono, muy acelerado, y dijo que le gustaría hablar cuanto antes con alguien del comité organizador. Así que me fui para el hotel, con el pánico de sentirme un elegido.

Se comió medio pan, se tomó un buen trago de café, y Tatiana y yo no abrimos la boca porque, aunque Sergio a veces se ponía muy pretencioso, parecía estar hablando desde el fondo del alma.

—Cuando llegué, Raymonds estaba con un par de tipos de la embajada que lo iban a llevar a comer, y con la intérprete. Me esperaban para salir. El viejo fue muy amable conmigo, y a duras penas cortés con los de la embajada. En medio de la comida uno de ellos mencionó el sabotaje y empezó a denigrar del país. A la segunda frase el viejo se desmandó. Acusó a los gorilas que lo cuidaban de haberle impedido oír lo que decían los mechudos y apaciguarlos. El poder monolítico del gobierno de los Estados Unidos había roto la posibilidad de hablar. Y repitió enfáticamente que cuando un gobierno le teme a la opinión de la gente, no puede progresar ni perdurar. Uno de los gringos se escudó en razones de la seguridad personal de Raymonds, y él le contestó agitado que su seguridad dependía de poder defender sus ideas.

—¿Y qué les habría contestado a los mechudos? —interrumpió Tatiana, que me tenía agarrado de la mano como si estuviera viendo una película de suspenso.

—Pues el gringo quedó muy desconcertado y le contestó que de haber sabido lo habrían mandado sin escolta. Creo que Raymonds no quiso oírlo y pasó a hablarme a mí. Quería decir que estaba escribiendo un nuevo libro. Una especie de recapitulación sobre los viajes espaciales, pero ya no mirando hacia el futuro sino hacia el pasado. Lo que mostraba era la desilusión de no haber llegado a ninguna parte. Dijo que había sido como un juego que finalmente no se había podido jugar, como cuando suena la campana para entrar a clase.

—Ay, Antonio, si nos hubiéramos ido a la rectoría... —dijo Tatiana mirándome triste.

Yo sólo me encogí de hombros, ¿qué más podía hacer?

Sergio siguió contando más detalles... Que Raymonds no sabía si podría terminar el libro porque a veces lo sentía muy cargado de decepción y amargura, y no creía que nadie se arriesgara a publicarlo porque hablaba abiertamente de la cobardía del gobierno gringo, de la guerra fría, de cómo él habría querido terminar sus días en otro planeta pero ya no le quedaba tiempo, de cómo los astronautas habían perdido su dignidad de exploradores para convertirse en meros mecánicos ultraespecializados... y que le pesaba terriblemente el remordimiento de haber ilusionado a generaciones enteras con el espacio...

—Y el golpe de gracia... —dijo Sergio con cara de misterio.

—No me diga que el viejo se queda más tiempo y quiere hablar personalmente con los tropeleros.

—Tampoco, tampoco. ¿Saben cómo se va a llamar el libro?

—Ni idea... ¿*El sueño perdido* o algo así?

—No, *Los huérfanos del espacio,* y está dedicado a los hijos de los viajes espaciales, como nosotros.

Entendí por qué Sergio había dicho que se sentía como un profeta.

—Y después de semejante confesión, ¿no le pidió un autógrafo?

Sergio sacó su manoseada edición de *Crónicas de Júpiter* y abrió en la primera página: «From a Space Orphan to another, with my best wishes for the future», firmado B. Raymonds. Tatiana estrujó el libro contra el pecho. Estaba feliz. Yo miré el reloj: eran casi las ocho.

—Perdón, pero si no nos vamos ya, no llegamos a la primera conferencia —y Tatiana fue a buscar su morral.

Salimos. Hacía sol y en el cielo muy azul se alcanzaba a ver una Luna opaca, como una enorme huella digital borrosa. Se las señalé.

—Me encanta cuando se ven la Luna y el Sol al mismo tiempo —dijo Tatiana emocionada—. Es como un buen augurio sideral.

Yo pensé que era decepcionante que a pesar de tanta ciencia y tanta literatura, la Luna y el Sol siguieran tan lejos que visitarlos tampoco formara parte de nuestro futuro.

PILAR GUTIÉRREZ

Como la cosa más simple

José Tomás

No estoy parado, ni sentado, ni acostado; simplemente
estoy, y desde aquí, tranquilo y cómodo, contaré lo que
nunca quise o, más bien, lo que nunca pude contar.
Que viví muy poco, dicen, pero no, fue bastante: veinte
años que bien podrían equivaler a ciento cuarenta,
como en el caso de los perros. María, Magda, Mercedes
y Manuela son los nombres de las mujeres que siempre
me protegieron. María fue la niñera; Magda, mi madre;
Mercedes, una de mis hermanas, y Manuela, mi novia.
No es casual que todos estos nombres empiecen con la
letra eme: todas tenían algo de mamá. Tener cuatro
mamás no es fácil. Mercedes decía que cuando estaba
borracho hablaba mucho de ellas y que, agarrándome
el cuello con las dos manos, repetía la frase «es que
me tienen hasta aquí». En algunos momentos sentí
que me ahogaban, sobre todo mi madre y Mercedes.
De María no podría decir eso, sino todo lo contrario;
estar con ella era como nadar en una piscina de agua
tibia. Ella me conoció más que cualquiera. «¡Ay, qué
ojitos! —decía—, con sólo mirarlo sé que está triste,

furioso o loco». Y no se equivocaba, para ella fui trans-
parente. Con María hablaba horas sin cansarme; nos
gustaba hacerlo en mi habitación, la más aislada de la
casa. Mientras fumaba acostado en mi cama, ella, sentada en un taburete forrado con piel de vaca Holstein,
oía mis historias. La comodidad que experimentaba con
María me hacía sentir libre, porque comodidad y libertad parecen ir siempre juntas; los calzoncillos grandes
y flojos, que tenían estampados lobos y lunas, también
me hacían sentir libre.

Ese fue mi problema: cuestión de comodidad. Desde
los trece años mi alma cambió de estuche, me convertí
en un hombre grande y gordo. Todos mis hermanos eran
delgados, así que busqué en el árbol genealógico al cul-
pable de mi peso y encontré a unos pocos grandulones,
pero ninguno como yo. Fui un gordo simpático, eso no
se puede negar, y buen bailarín como todos los gordos,
pero incómodo, muy incómodo. «¿Quién diseña a los
humanos?», me preguntaba todas las noches y todas las
mañanas. Por ejemplo Mercedes, mi hermana, tenía
un cuerpo delgado y un alma recia, mientras yo poseía un cuerpo grande y un alma débil. Mercedes era
mayor que yo, me llevaba un año y medio, pero parecían diez. Aunque fui el menor de la casa, nunca lo
sentí; ella, sin querer, usurpó mi lugar. Parecía tener la
marca del éxito grabada en la frente, todo lo hacía bien.
Cuando estábamos pequeños solíamos pelear a los gol-
pes, y ella siempre perdía. Yo me aprovechaba de su
fragilidad física y la metía a la fuerza entre la secadora
y la pared, de donde salía como un muñeco de trapo.

Esto funcionó mientras fuimos niños, pero luego crecimos y su espíritu avanzó en la misma proporción que mi cuerpo.

Mis padres viajaban mucho y ella quedaba encargada de la administración de la casa. Mi mamá le dejaba unas listas infinitas de funciones y entre ellas estaba yo. Escribía: «Tareas José Tomás: darle la plata de la semana todos los lunes, preguntarle para dónde va cuando salga en las noches, controlarle la comida y hacerle el cheque para el sicólogo todos los jueves». La verdad es que Mercedes estaba muy joven para cargar con todas esas responsabilidades y, además, conmigo.

«Vos sos una culicagada para estar mandándome todo el día», le decía yo, pero ella, tiesa y como educada por militares, ni siquiera miraba y se limitaba a cumplir las tareas. Fue responsable siempre; cuando mis amigos la conocían, me decían: «José Tomás, no puede ser que esa sea Mercedes, cuando nos hablas de ella pensamos que es una vieja, pero tiene casi tu misma edad».

Aunque me quejaba mucho de ella, sentía orgullo al presentarla. «Esta es mi hermana», decía, como si no tuviera más; en realidad las otras, además de llevarme muchos años, no eran tan importantes para mí.

Mercedes sabía que el cheque para la cita semanal del sicólogo terminaba convertido en dinero para parrandear y salir con mi novia, con Manuela. Mi hermana y Manuela tenían una relación distante. Nadie en la familia creía en Manuela; pensaban que estaba conmigo por interés. Fuimos dos almas enamoradas, enamoradas de verdad; a ella nunca le importó mi cuerpo, ni le dio vergüenza salir conmigo. «Tus abrazos son lo mejor, la gente no sabe lo que se pierde cuando desprecia el abrazo de un gordo», repetía con dulzura, y con esa frase me llenaba de seguridad y alegría. Ella acompañó todos mis sueños. Cuando nos tomábamos unos tragos y comentábamos nuestros planes futuros, le decía: «Todas las mañanas, durante el desayuno, yo leeré el periódico y tú organizarás las actividades del día». Eso era lo que yo había visto siempre y lo que para mí era la felicidad. Un día Mercedes nos oyó y asustada gritó: «Pero cómo se les ocurre, si ese, precisamente ese, es el tedio y la rutina de todas las parejas; ¡sueñen con algo mejor!». Hasta en los sueños se metía.

Sólo una mujer enamorada como Manuela hace las cosas que ella hizo por mí, porque mis locuras no estaban apoyadas en argumentos lógicos, nunca le expliqué nada. Después de una noche de borrachera llegué a la casa y a los pies de la cama de mi hermana hablé y lloré. En medio de un desorden total de ideas le conté lo inútil, lo gordo y lo inmensamente triste que me sentía. Mercedes siempre escuchó. «Mira, no importa que sean las tres de la mañana, yo te voy a oír, pero levántate del suelo, que verte ahí, echado, impresiona», dijo ese día. No me levanté del suelo, no podía; así estaba mi alma, echada y aburrida. Le dije que sólo a ella la iba a hacer partícipe de mi decisión, que me iba sin rumbo, que recogería a Manuela para comenzar una vida nueva. Con mucho esfuerzo levanté el estuche grasoso y pesado que agobiaba mi alma, cogí las llaves del jeep y arranqué decidido. Mercedes salió detrás de mí y trató de impedir el viaje; aferrada a la puerta del chofer, me suplicó que no lo hiciera. La pobre Mercedes llevaba esa noche una pijama de pantalón corto. Y la noche era fría. Yo salí sin pensar y recogí a Manuela. Ella no preguntó nada y se fue conmigo. Aunque Manuela tenía un buen estuche, en otros aspectos, diferentes de su cuerpo, se identificaba conmigo; ella también se sentía como un bicho raro en su familia. El viaje sólo duró dos días; cuando se acabaron el dinero y el efecto del licor, dejé de soñar y le propuse a Manuela que volviéramos a nuestras respectivas casas.

Ese tipo de locuras las hacía cuando mis papás estaban de viaje. Yo no era capaz de ocasionarle un disgusto a mi papá, pues sólo su voz me llamaba al orden. Lo respeté, lo admiré y le temí demasiado. Todo lo que él hacía me asombraba, hasta la manera como partía los huevos fritos en el desayuno de los domingos. Yo aprendí a hacerlo como él, moviendo el tenedor y el cuchillo con mucha propiedad. Y su sentido del humor también lo heredé. Mi papá nunca lo supo, pero en la calle me decían que hablaba igual a él y que mis bromas eran como las suyas, oportunas e inteligentes. No fuimos amigos, y aunque nos quisimos bastante, yo le pesaba como un bulto de piedras. «Hombre, cuándo vas a coger el camino normal de la vida», decía, mientras se tocaba con fuerza un lunar que tenía arriba en la cabeza.

Sonaba fácil el cuento de coger el camino normal, pero no lo era. Tuve problemas académicos y de disci-

plina desde pequeñito. Logré graduarme a los dieci-
nueve años y el día del grado juré que no iba a estudiar
más, que me iba a dedicar al trabajo. Pero en mi casa
presionaron hasta que busqué un instituto en el centro
de la ciudad, donde haría una carrera intermedia. Estudiaba entonces en las noches de seis y media a nueve
y durante el día trabajaba. Eso no funcionó bien, no
tenía fuerza de voluntad para levantarme en las mañanas, algunas veces por cansancio y otras por depresión.
Mi hermano, que era mi jefe, decidió sacarme de la
empresa y me recomendó buscar un trabajo nuevo.
Tuve suerte, pues el novio de Mercedes, que era ya un
señor, o por lo menos yo lo veía así, me invitó a trabajar
con él. Necesitaba un vendedor, alguien que promo-
viera un aceite especial para productos de cuero; era
una fórmula suya. Mi espíritu de vendedor resultó arro-
llador. Parte del éxito se debía a que yo manejaba el
tiempo, no cumplía ningún horario y, además, la venta
como tal duraba unos cinco minutos; el resto del tiempo conversaba con los clientes y contaba chistes. Empecé a sentirme bien. Manuela me quería cada vez más
y los de mi casa, en broma, me llamaban el rey del aceite de pata.

Mi euforia de vendedor duró unos seis meses, hasta
que Mercedes decidió casarse. Nadie supo de mi tristeza, pero casi me muero. Por primera vez rebajé, en dos
meses, ocho kilos; no quería comer, ni dormir, ni hablar.
Con la noticia de su matrimonio, se mezclaron en mí
múltiples sentimientos; sentí que me dejaba solo, sentí
envidia, pues otra vez ella triunfaba con sus proyectos y

yo seguía igual, gordo, fracasado e inútil. Me imaginaba de eterno hijo, en mi casa, haciéndole favores a mi mamá y obedeciendo todo lo que dijera y pensara mi papá.

Una semana antes del matrimonio, nadie me miraba. Y Mercedes menos; acumulé toda la tristeza y la noche anterior a la boda me emborraché y no fui a dormir a la casa. Llegué horas antes de la ceremonia y oí la cantaleta de mi mamá; como si me estuviera hablando una loca, ni la miré. Tomé un baño largo y me puse la ropa elegante que merecía mi hermana para la ocasión. Se casó a las cinco de la tarde, en contra de la voluntad de muchos que decían que un matrimonio elegante debía ser en la noche. Ella, obstinada como siempre, decía: «Van a ver, entramos a la iglesia a las cinco de la tarde y faltando un cuarto para las seis estaremos saliendo; es la hora más linda del día, el azul del cielo es diferente y la luz, por fin, es descansada». Yo no olvidé sus palabras y estuve pendiente de la luz, que fue así, como ella dijo.

Pasó un mes. Mercedes volvió de la luna de miel y nada cambió. Mis papás siguieron viajando, y cada vez que se ausentaban, mi hermana se trasladaba con su marido para la casa y de nuevo se ocupaba de la administración de todo y de mí. Las ventas del aceite volvieron a ser como antes. Todo iba bien, pero Mercedes y yo no dejábamos de discutir. Teníamos, para no perder la costumbre, una peleíta diaria. Cuando ella me prestaba el carro, insistentemente me pedía el favor que se lo devolviera con gasolina y con la silla en su lugar, y eso fue lo último que dijo antes de que me mataran.

Con risa maliciosa, le contesté: «Vas a ver, te lo voy a entregar hasta recién lavado».

Pero no pude cumplir mi promesa. Esa noche salí con Manuela, fuimos a bailar y nos gastamos las comisiones de las últimas ventas. Sudé bastante, como buen gordo, y a las dos de la mañana llevé a Manuela a su casa. Nos besamos largamente, a ella le encantaban mis besos. Salí de su casa tan contento que pensé en divertirme un rato más. Paré entonces donde Chucho, el de los perros calientes; estacioné el carro atravesado y por pereza no lo quise mover. De pronto llegó un tipo de unos cuarenta años y, furioso, empezó a insultarme; los dos estábamos muy borrachos. Yo, en vez de correr el auto, seguí la discusión; me gustaban esas peleas, siempre salía ganando. Desde el carro contesté varias veces a sus gritos e indiferente seguí comiéndome el perro. Lo hacía con la intención de que el otro se enfureciera más, y lo logré. El tipo se bajó de su carro y poniéndome un arma en el cuello me dijo:

—Te bajás ya del carro, gordo hijueputa.

No tuve más palabras, e invadido por el miedo, me bajé y le pregunté:

—¿Qué es lo que querés?

—Que te montés en mi carro para que veás cómo es que se arreglan estas cosas.

En la parte trasera del automóvil se encontraba otro tipo armado, me tapó la boca y apuntándome con el arma me llevaron hasta un oscuro callejón. Allí me bajaron; ya no se discutía, sólo empujaban hasta que me hicieron arrodillar. «Pedí perdón, malparido», dijo el tipo de cuarenta años, pero no quise contestar. Me disparó entonces en la frente. No sentí dolor, fue como un roce. Sí, así me llegó la muerte, como un roce, y así también le llegó la noticia a Mercedes. Tocando la pared suavemente y con un paso agobiado, María, la niñera, subió las escaleras que llevaban al cuarto de mi hermana. Eran ya las cuatro de la mañana. Mercedes sintió que alguien tocaba suavemente la pared y supuso que era yo, en una de tantas borracheras. Yo siempre le tocaba la puerta anunciando mi llegada.

—Pase al teléfono, niña; le van a dar una noticia muy mala —dijo María con voz temblorosa.

—¿Usted es hermana de José Tomás Rodríguez? —preguntó el policía—. Es que lo encontramos muerto y necesitamos a un adulto responsable que se haga cargo de los trámites.

Mercedes no pudo hacerse cargo de nada, los nervios la dominaron y vomitar cada cinco minutos fue su manera de llorar. Mis hermanos, los dos hombres mayores, se ocuparon de todo, hasta de llamar a mis papás a Estados Unidos para darles la noticia. Qué pena con toda mi familia; yo, incluso muerto, seguía poniendo problema: ese cuerpo descomunal me la jugó sucio hasta el último día, tenía que hacerse sentir, casi no consiguen un ataúd apropiado para mis medidas. Finalmente optaron por acostarme en el único cajón que encontraron, a pesar de su forma hexagonal y el estridente color violeta.

Siempre soñé con el día en que se reuniera toda la familia alrededor de mis éxitos como vendedor, pero nunca pensé que la reunión más concurrida sería el día de mi muerte. Sentí impotencia al ver esa cantidad de gente llorando, quería decirle a cada uno al oído: «No sufra, yo estoy bien, estoy mejor».

No me gustó ver a Manuela descontrolada gritando, a mi mamá rezando sin pensar, a Mercedes enferma del estómago y a María sin fuerza para caminar. Pero ahora, después de tantos años, veo que a todas les cambié la vida.

Manuela

José Tomás y yo éramos diferentes. No es que pareciéramos un par de viejitos, como decían algunos, ni actuábamos como las parejas de jóvenes del momento; no, éramos él y yo. Mi mejor amiga, Susana, lo quiso mucho y gozaba con su manera de ser y sus chistes. Con Susana hablo de todo, nos tenemos una confianza infinita; sin embargo, hay una sola pregunta a la que nunca le contesté ni le contestaré:

—Manue, qué pena, pero no puedo imaginarme cómo te acuestas con José Tomás; es demasiado gordo y demasiado grande.

La primera vez que me preguntó, le sonreí y no le contesté y la segunda vez le dije:

—No intentes más con esa pregunta, nunca te la voy a contestar porque no puedo darle respuesta a algo que no entiendo.

Solíamos hablar de nuestras relaciones sexuales, y tratábamos el tema con mucha naturalidad, pero con José Tomás guardé celosamente mi intimidad, pues con él no era una experiencia cualquiera; además, con él no me acosté, con él hice el amor. Su muerte me debilitó por completo, pensé que después de él no podría amar a nadie, pasé un año sin salir de mi casa; sólo conversaba con Susana y de vez en cuando comíamos helado o nos tomábamos un café. También visitaba a María los domingos, como a las tres de la tarde, cuando toda la familia de José Tomás estaba en la finca. Rezaba y cruzaba los dedos para no encontrarme con alguien diferente de María. Nunca hablábamos de él, no era necesario, la mayor parte de las veces ni siquiera hablábamos mucho. Relajadas y en confianza, las dos nos hacíamos compañía. Cuando las visitas se prolongaban hasta las cinco de la tarde, yo le ayudaba a darles la comida a las loras y a los perros. Bueno, ahora recuerdo que sí hablamos una vez de José Tomás y fue muy divertido, nos acordamos de las veces que hizo sufrir y gritar a María, cargándola y lanzando su cuerpo hacia arriba, o montándola al carro para salir a dar una vuelta a toda velocidad.

El primer año después de la muerte de José Tomás fue la fase inicial del duelo. Pero no un duelo de ropas negras, ni de llantos en público, ni de conversaciones llenas de lamentos y nostalgias; no, fue una sensación constante de vacío e ingravidez. Quería tocar la tierra y con los pies bien apoyados seguir mis estudios y mi vida, pero no podía, perdí materias en la universidad y me alejé de la gente.

El segundo año fue diferente, pues empecé a salir con amigos de Susana; ninguno me gustó, pero por lo menos conocí gente distinta. Después de las salidas llegaba a mi casa y, acostada, abrazando la almohada, me preguntaba «¿qué sucede, qué falta?». Así fue pasando el tiempo, ya no visitaba tanto a María, aunque nunca he dejado de llamarla los domingos. De pronto veía a Mercedes en algún mercado o centro comercial y nos saludábamos; yo me ponía un poco nerviosa y ella también, ya que era como si de alguna manera se nos apareciera José Tomás. Al que vi muy pocas veces fue a su padre, quien murió también; dicen que lo enfermó la muerte de su hijo. En las ocasiones en que nos encontramos, lloramos como se lloran las penas que no se pueden superar, con temblor en las manos y dolor en el alma.

A pesar de todo, este dolor, esta ausencia eran parte de mí y me hacían grande. Yo crecí por José Tomás y ahora soy capaz de muchas cosas. Ya no lo busco en las personas que conozco, pero su esencia, lo que me enamoró de él, eso sí lo busco. Escudriño entre la gente, como si fuera un matorral con maleza, lo simple y lo elemental, y así he encontrado el amor, como la cosa más simple.

MAGDA

La muerte de un hijo no se la deseo a nadie y menos la del hijo conflictivo, porque esa es la peor. La vida te lo arranca llevándose un pedazo, desgarrándote. Si me pusieran a representar gráficamente lo que fue para mí la muerte de José Tomás, pintaría a un hombre de manos grandes y fuertes aferrado a un árbol que sale perpendicularmente de mi ombligo. Las raíces, que serían muchas, abrazarían algunas mi cuerpo y otras se clavarían en mi estómago. El hombre halaría con violencia, logrando desprender el árbol de mi tronco, llevándose parte de la piel y los órganos y despedazando las raíces. Durante mucho tiempo ese hombre fue Dios y a pesar de lo creyente que he sido, quise dejar de rezarle, pues parecía no oír mis oraciones diarias. Yo le había dicho que cuidara a José Tomás y lo orientara en la vida, pero no que lo matara y menos de esa manera. No obstante, ya tenía el hábito de la oración e inconscientemente rezaba y hasta empezaba a mover los dedos sin tener camándula. Lo cierto fue que por primera vez en mi vida tuve que buscar ayuda por fuera de la religión, sin dejarla a un lado, pues eso nunca lo haré. Entré a un curso de relajación que seguía las técnicas de un método cuyo nombre no recuerdo. El primer nivel fue bastante bueno, aprendí a relajar el cuerpo y la mente, practicaba los ejercicios en cualquier parte, sin importarme qué iban a pensar los demás. A mis hijos y a mi marido les parecía que yo estaba loca y en chiste decían que hasta levitaba en las horas de la madrugada. No terminé el curso porque en los otros dos niveles restantes trabajaban el concepto de la regresión, cosa que va en contra de mis principios religiosos. La relajación se convirtió, entonces, en una nueva costumbre; me levantaba muy temprano, hacía media hora de oración y luego meditaba.

Con el tiempo y todas estas ayudas, la vida se volvió más llevadera; ahora pienso que la muerte de José Tomás, independiente de la forma violenta como sucedió todo, fue lo mejor para él. La violencia en este país es cada vez peor y las presiones de la vida moderna son mayores. Él era bueno, un gordo bueno, tal vez demasiado para todos los seres que lo rodeábamos. Lo protegí sin medida y no sé si me equivoqué, ya no pienso en eso. Yo le di amor, mucho amor, y de amor no se ha muerto nadie. José Tomás alcanzó a colmarme la vida y solía pensar que mi existir tenía sentido en la medida en que viviera por él. Con su muerte, yo también me quería morir.

Esos pensamientos decadentes se fueron quedando en el pasado y después de muchos años, tantos como requiere la educación de ocho hijos, empecé a pensar en mí. No es que me vean caminar por la calle y digan: «Miren a Magda, definitivamente es otra»; no, yo sigo siendo la misma rezandera de siempre. Pero ahora oigo a mi espíritu y sin limitaciones de mamá me doy permiso de ir al cine, de salir a almorzar con mis amigas y de oír los boleros que más me gustan, acompañados con unas copas de vino.

María

Sin haber engendrado un ser en esta vida, soy la madre de ocho. Hay momentos en los que me da vergüenza con doña Magda, pues dirá que le estoy quitando su lugar, pero calladita pienso: «Al César lo que es del César»; así dice Mercedes. Que ella fue una mala madre, eso no lo puedo decir; además, ha rezado mucho por todos. Lo que pasa es que yo no sólo les cambié

104

pañales y les di comida, sino que también oí sus conflictos, sobre todo los de José Tomás. Me hace falta su intimidad, era el más misterioso de todos. Aunque confieso que me contaba desde los hechos más sencillos hasta los más aterradores, todavía siento escalofrío cuando recuerdo las peleas que armaba en la calle como repitiendo un programa de las tortugas ninja y llegaba aporreado, pero feliz, a describirme los detalles de la lucha. «Oiga, deje esa peleadera», le decía yo siempre.

También me contaba las historias de amor de sus amigas. Lo llamaban todo el día para pedirle consejos. Yo las reconocía al instante, cuando con vocecitas chillonas decían: «Gracias, ¿José está?». Con eso yo adivinaba la hora de consuelos y consejos que le dedicaría a la desengañada niña. Ángela, la pecosa, lo llamaba más que todas; a veces me daban ganas de decirle: «Niña, no sea descarada; ¿no ve que lo que necesita este gordo bueno es amor? Él no quiere oír más historias de otros, él quiere vivir la suya». ¿Por qué será que los gordos y los feos acaban siempre de consejeros? Pero esto paró cuando conoció a Manuela. Qué niña más dulce, yo le vi el amor en los ojos. Fuimos amigas y todavía lo somos. Ella me saludaba con un abrazo y un beso, lo que no hace el resto de la gente con una niñera. Fui muy feliz cuando vi que José Tomás se había enamorado y era correspondido. Ya no le daban rabias ni tristezas. Cantaba en la ducha por las mañanas y cantaba muy bien, me parecía que tenía una voz como la de los discos que ponen en esta casa los fines de semana. Doña Magda, todos los domingos a las diez de la mañana, suspira y dice: «Bueno, ya es hora de oír ópera», y ahí mismo comienzan hombres y mujeres a gritar elegantemente.

MERCEDES

Con su muerte, me di cuenta de que lo adoraba. Yo sabía que lo quería, pero no tanto. A pesar de la tragedia seguí la vida, fuerte, estoica, como me habían enseñado a asumir las penas, pero la tristeza se encargó ella misma de salir, inicialmente a través de sueños que terminaban en un llanto incontrolable y más tarde con una profunda depresión. No tenía remordimientos ni culpas, sólo una falta por omisión, la más grande que puede cometer cualquier ser humano: nunca lo abracé con ganas ni le dije que lo quería. Ahora, cuando quiero, lo digo sin problema. Lo que sí me quedó, y sin aparente cura, es un deseo desenfrenado de abrazar a cuanto gordo grande se atraviesa en mi camino.

JOSÉ TOMÁS

No estoy parado, ni sentado, ni acostado; simplemente estoy, y desde aquí, tranquilo y cómodo, pienso: «Inútil yo, no; inútiles los que no han muerto».

OLGA MARTÍNEZ

Encuentro con el asombro

Permanecí largo tiempo tras la ventana, mientras el cristal se empañaba incesantemente por la lluvia, tornando opaco el conjunto atardecido de pinos y alamedas. Esperaba la llegada de Margarita, que en cualquier momento aparecería. Habían pasado veinte años desde el último encuentro; ni siquiera estaba segura de reconocerla. Recordaba a menudo su mirada de asombro que se reflejaba en sus grandes ojos de almendra y su cabello largo del color del cobre, pero lo que más arraigado tenía en mi memoria era su vestidito lila que le llegaba a las rodillas, el cual se ponía en los días especiales. Hoy, después de tanto tiempo, aún lo conservo entre las cosas más entrañables de mi pasado.

No sabía si ella me perdonaría por haberla abandonado y, peor aún, por no escuchar sus ruegos ni quejas cuando varias veces intentó hablarme. No le expliqué los motivos de esa partida que apenas hoy comienzo a vislumbrar.

Para tranquilizarme, decidí caminar por los viejos corredores de la finca. Reconocí el olor a madera húmeda que tanto me gustaba desde cuando era niña.

Los guayacanes florecidos marcaban el lindero y los girasoles permanecían abiertos buscando la luz que empezaba a menguar. Era la única persona que presenciaba desde allí la caída del atardecer asperjado de lluvia y arreboles.

Salí hasta la hierba y caminé sobre las piedras enlodadas. Mi cabello largo quedó empapado en pocos minutos, al igual que mi abrigo negro y la bufanda de seda que me cubría el cuello. Estando allí llegó Margot, con su rostro acre y mirada de lince, salpicada de fango y cubierta de lluvia. No dijo una palabra. Me observó por un momento y entró a la casa sin darme tiempo para decirle que se fuera. La seguí hasta la chimenea, observando cómo quedaba tras de nosotras un par de huellas en el piso de madera.

Se quitó despacio su abrigo y la bufanda de seda que llevaba puesta. Su figura delgada y su piel de arena trajeron mi presente, del que venía huyendo desde hacía un buen tiempo. No quería volver a verla, estaba cansada de sus actitudes convencionales guiadas por la razón, de sus concepciones precisas y su falta de asombro. Valiéndome de artificios complicados lograba a veces alejarme unos días, pero Margot me encontraba y me repetía como una cantinela que jamás me dejaría. En esta ocasión, había puesto mi mayor empeño en escabullirme para encontrarme con Margarita en la casa de campo donde había transcurrido mi infancia. Sabía que no vendría si la mujer de rostro acre estaba conmigo.

—Creí que no nos veríamos por estos días —dije a secas.

Margot me miró. En su rostro pálido sobresalían los labios apretados y las cejas revueltas.

—¿Sabías de mi encuentro con Margarita?

No me contestó. Se acercó hasta la puerta y la abrió; disfrutaba con el frío que recorría su cara y con el afuera que se iba desdibujando entre la bruma vespertina.

—¡Sabes que no vendrá si permaneces aquí! —grité.

Nos quedamos en silencio. Apenas se escuchaba el ruido de la lluvia tropezando contra la madera vieja de los pequeños postigos.

—¿Por qué te empeñas en seguirme? ¡Ya no puedo contigo! —vociferé, advirtiendo que pasaba el tiempo.

Caminé de un lado para otro y prendí un cigarrillo que aspiré con fuerza. La miré muchas veces, en ocasiones con saña, pero Margot seguía impasible.

—¡Quiero que te vayas! ¡Mejor si no vuelves!

Ella se volteó despacio. Su cabello largo humedecido le brillaba. Me dijo que no se iría nunca, puesto que la había escogido a ella en lugar de Margarita.

Me desesperaban cada vez más sus respuestas escuetas. Sabía que no saldría de la casa, así que lo hice yo. De la tarde quedaban unos escasos nubarrones amarillos a lo lejos. Corrí hasta el jardín y me detuve en la ceiba silenciosa y cómplice de mis días; creí ver a Margarita tras su enorme tronco. La escuché recriminarme por las muñecas de trapo que nunca le di. Lanzó frases sueltas en un lenguaje que no logré entender. Me quedé quieta, ni siquiera me atreví a parpadear temiendo que su imagen se fuera, pero sin saber cuándo noté que eran los ojos pardos de Margot los que me observaban.

—¡No vendrá, no vendrá! —alcancé a decirle a Margot en medio de un llanto seco.

Por fin pareció cambiar su indolencia, comenzó a mover de un lado para otro la cabeza y muy despacio abrigó su cuerpo con sus manos de mujer joven. Lloró por largo tiempo ante mí; me senté a su lado y apreté su mano entre mis manos, sintiendo su piel que también era mía. Por fin Margot había comprendido que tenía que irse. Su vida se aquietó entre mis brazos y exhaló frente a mí su último aliento. Logré retener su pasión por lo que amaba.

Amaneció. Aspiré fuerte el vapor que desprendía la mañana y observé los árboles del entorno: tenían la misma frescura de veinte años atrás. Me senté en medio de ellos y volví distraída la mirada hacia atrás; ahí estaba Margarita, recogiendo las flores amarillas de los guayacanes que habían caído sobre la hierba. Amaba su ternura y su capacidad de asombro, que hacían dibujar un par de hoyuelos en su rostro menudo. Permanecían con ella todavía, esperando por mí.

Llegué despacio hasta ella, la agarré con miedo a perderla de nuevo, pero algo sucedió. Comenzó a derramarse por entre mis dedos sin poder asirla, como hilos de arena disolviéndose ante mis ojos.

—¡Me perdí en el tiempo! —alcancé a escucharle decir antes de que desapareciera.

Desesperada, traté de hallarla en el suelo; busqué partículas color de arena, con todo ese pasado que quería recuperar. Fueron vanos todos mis intentos: había quedado disgregada sobre la tierra húmeda.

—¡No pude, no pude! —grité con todas mis fuerzas.

Volví a la casa. Con Margarita se marchaba mi esperanza de cambiar.

Recostada contra la puerta, mis cabellos revueltos —que todavía conservaban algún tinte cobrizo de antaño—, cubrían mi cara y ocultaban mis palabras que, con pesadumbre, seguían invocando a la niña de vestido lila.

No sé cuántas horas transcurrieron, pero una presencia cálida sobre mi rostro me arrebató del sueño. Vi a Margarita a mi lado, mi pasado se reflejaba en su rostro. Me quedé quieta para que no desapareciera de nuevo, aunque una convulsión me sacudía por dentro. Me observaba sin pestañear, recorriendo mi cuerpo, reconociéndose en cada parte de mi ser después de tanto tiempo. Se acercó aún más y pasó con suavidad sus dedos por mi piel, para luego unirse a mí en un abrazo silencioso.

Había caminado un trecho largo por la floresta, cuando volví la mirada hacia atrás. La casa se veía lejana, como si hiciera parte de una fotografía antigua. Me acomodé el abrigo negro y arreglé mi bufanda de seda alrededor del cuello. Disfrutaba con el entorno del camino mientras sonreía sin miedo al sentir que el asombro me inundaba de nuevo. Podía comprender, sin necesidad de la razón, que aquel paisaje estaba vivo y me murmuraba algo que no escuchaba hacía veinte años. Al fondo, vislumbré la ciudad; amaba con pasión ese presente nuevo que se despertaba misterioso, que había pasado inadvertido y que ahora observaba atenta con mis ojos de niña.

BEATRIZ MENDOZA

Toñita

Era una tarde soleada de junio, de esas en que el calor es insoportablemente húmedo y cuando dan las cinco el sol se pone de un anaranjado tan fuerte que tiñe de azafrán las fachadas de las casas. Lo mejor de esos domingos era llegar a asaltar la nevera de la casa de mis abuelos. La cocina, como casi todas las habitaciones de la casa, era de paredes altas, con telarañas en las esquinas y polvo debajo de los muebles.

Mis abuelos siempre tuvieron dos señoras que cuidaban de ellos: María y Toñita. Toñita era una negra extremadamente flaquita y un poco encorvada, de cabellos hirsutos y grises recogidos en una moñita y ojos azules por las cataratas. La verdad es que a mis hermanos y a mí su aspecto nos parecía aterrador, y como ella era la encargada de la cocina y de hacer la limpieza, asaltar la nevera se convertía entonces en una aventura. Aparte de su aspecto de bruja y de sus ropas un tanto harapientas y algo grandes para su talla, Toñita poseía un carácter de cascarrabias insufrible. Cada vez que nos veía asomando el pico en la vieja nevera General Electric, situada en medio del corredor que comunicaba la cocina con el comedor, nos espantaba pegándonos con un viejo trapo rojo de sacudir. Nos azotaba como si fuéramos un mueble más de la casa que tuviera una costra inarrancable de polvo. La nevera en el corredor era una trampa en la que siempre caíamos, pues cuando nos sorprendía por lo general la puerta de la nevera estaba abierta, obstruyendo la salida hacia el comedor. Entonces ella se paraba frente a nosotros con su trapo rojo y no nos dejaba otra escapatoria que pasar por debajo de sus faldas, correr hacia la cocina y escabullirnos por las escaleras que daban al patio de atrás.

El éxito de la hazaña era determinado por la cantidad de galletas macarenas que hubiéramos logrado sacar de la inmensa lata que compraban para el postre de mis abuelitos. Si además de eso, alguno de nosotros había logrado untar un par de tostadas o galletas de soda con mantequilla (un poco rancia y siempre a punto de derretirse porque Toñita se negaba a meterla en la nevera), entonces se podía decir que el éxito había sido rotundo. Pero si por encima de todas estas y otras golosinas que la nevera atesoraba, uno de nosotros, en un intento suicida, había logrado apoderarse de uno de los pudines de chocolate o vainilla vaciados en recipientes de latón labrado que almacenaban en la parte más alta de la nevera, entonces ya no era un éxito, ni una hazaña, sino una verdadera proeza digna del más fiero de los piratas sacado de un libro de Emilio Salgari.

Después de habernos librado de las garras huesudas y negras de Toñita, que aparte de sacudirnos intentaban también agarrarnos por la oreja, nos íbamos a repartir el botín a nuestra guarida. Como todas las casas en la ciudad, la de mis abuelos estaba separada de la de los vecinos por un paredón más alto que cualquiera de los adultos. Entre la casa y el paredón se dejaba siempre un espacio apenas lo suficientemente ancho para una persona, que daba lugar a un estrecho callejón, que en época de brisas se llenaba con las hojas secas de los árboles. Era en este callejón en donde mis hermanos y yo teníamos nuestros cuarteles generales y en donde Toñita detenía su persecución y nos miraba con ojos de perro rabioso, desde la entrada del mismo, jurando que esperaría a que saliéramos para pegarnos por el rabo con la escoba y que le contaría a mi mamá todas nuestras malacrianzas.

Luego de oírla refunfuñar durante un tiempo cerca del callejón, siempre atacados por una risa nerviosa que tratábamos de sofocar poniendo una mano sobre la boca, escuchábamos cómo arrastraba sus chancletas de plástico por el patio hasta subir las escaleritas que daban a la puerta de atrás de la cocina. Entonces soltábamos las carcajadas hasta que la panza nos dolía o hasta que descubríamos a las hormigas, atraídas por el olor de los dulces, intentando cargar con nuestro botín al hombro. La repartición y aprovechamiento del mismo no presentaba mayores inconvenientes, acostumbrados como estábamos a dividir todo por partes iguales.

Tras haber engullido hasta la última migaja de pan y de haber lamido el moldecito de latón hasta dejarlo brillante, nos dedicábamos a explorar el resto del callejón, que le daba toda la vuelta a la casa. Pero, por lo general, justo en ese momento escuchábamos la voz de mamá que nos llamaba para ir a saludar a mis abuelitos. Mamá nos recibía con un trapo húmedo en la mano con el que nos restregaba por el cuello y detrás de las orejas y en las manos y la boca hasta que nos quitaba el polvo y la tierra. Luego nos escoltaba por el patio mientras pasábamos justo al lado de Toñita, impotente con su trapo rojo y sus manos en las caderas, y nosotros, por iniciativa de mi hermano mayor, le sacábamos la lengua y le hacíamos muecas hasta que se ponía morada de la piedra.

Subiendo las escaleras que daban a la cocina y atravesando de vuelta el corredor mientras mirábamos golosos hacia la nevera, llegábamos al comedor donde nos esperaban mis abuelitos. Sentados en sus mecedores, sus caras antiguas se iluminaban cuando nos veían. El abuelo, siempre con la barba crecida de dos días y puyuda, me daba unos besitos en la mejilla que me hacían cosquillas. A la abuela, paralizada desde hacía varios años, teníamos que ir a besarla en la mejilla derecha, una mejilla suavecita y blanda como cáscara de durazno. Desde su mecedor intentaba sonreír al vernos. Sus ojos abiertos se agrandaban aún más y trataba de pronunciar un saludo entre las babas que escurrían de su boca. Mamá nos había explicado que con la enfermedad se le había olvidado cómo espabilar y tragar saliva y por eso siempre había que estarle diciendo que cerrara los ojos. María, que era la encargada de cuidar de ellos, se ponía junto a su mecedor con un pañuelo para recoger los hilitos transparentes que le caían en el vestido de florecitas color pastel. Los glúteos de mi abuela se salían por los espacios que la mecedora dejaba disponible y de sus brazos sobresalían unas venas grandes y azules que a mí me gustaba aplastar con el dedo para ver cómo se reacomodaban en la piel danzando como gusanos.

Mi abuelo nos hacía sentarnos en el piso blanconegro de ajedrez o en sus piernas mientras se ponía a echar chistes malos o a contar historias del Tío Conejo y del Tío Tigre y adivinanzas y trabalenguas. Así nos entreteníamos un rato mientras mamá y María revisaban las finanzas de la casa y lo que quedaba de mercado, hasta que llegaba la hora de la merienda. Entonces entre María y mamá ayudaban a mi abuela a pararse del mecedor y a arrastrar los pies hasta la mesa y papá vigilaba que el abuelo no se cayera mientras caminaba apoyado en su bastón de caña. A nosotros nos desacomodaban del piso y nos mandaban a jugar al patio interno, separado del comedor por una puerta corrediza. Al fondo del patio había una virgencita de yeso, empotrada en una de las paredes y con las manos comidas por los años, a la que a veces le cantábamos las canciones que las monjas nos enseñaban en el colegio. El piso de baldosas, igual al del comedor, nos servía para jugar rayuela y en las paredes blanqueadas de cal podíamos seguir ejércitos de hormigas que desfilaban en hilera llevando hojitas verdes y otros tesoros vegetales que encontraban en el patio. Pero a veces este patio era demasiado pequeño para los tres, limitado como estaba por las paredes de las habitaciones. Mamá lo había adornado sembrando plantas florales y crotos alrededor y tenía una palmera que crecía en el medio, encerrada en su pequeño cuadrado de tierra. Nos poníamos a discutir o a hacer demasiada bulla hasta que nos mandaban a jugar afuera.

Entonces atravesábamos el comedor en tropel, pasábamos volando por la pequeña habitación que comunicaba el comedor con la sala y que servía de oficina al abuelo, hasta que llegábamos al zaguán y abríamos la puerta de la calle. La luz dorada de la tarde nos daba en la cara y más allá del porche con el sofá-columpio estaban la palmera, el roble y la mata de guama. Aparte de montarnos en los árboles e imaginar que éramos micos escapados de un circo, nuestro juego favorito tenía lugar en la paredilla que dividía la casa de los abuelos de la de los vecinos de la derecha. Caminando sobre el filo de cemento nos convertíamos en equilibristas escapados también del mismo circo para entretener a los ancianos del vecindario y a sus nietos. A esa hora de la tarde todos los vecinos salían a tomar el fresco. Sacaban los mecedores y los taburetes y se ponían a conversar echándose aire con abanicos de paja. Por lo enfermos que estaban, sacar a mis abuelitos al porche era una tarea dispendiosa que rara vez mis padres ejecutaban.

En el patio de enfrente gozábamos de una libertad diferente: no estábamos vigilados por Toñita y teníamos toda la cuadra para explorar. Algunos niños del barrio se nos unían para recoger maticas de explota-explota o para jugar al escondite. La matica de explota-explota producía una semilla alargada como un fósforo que cuando entraba en contacto con algo húmedo explotaba, disparando las semillas en todas direcciones. Nosotros nos poníamos las vainitas en la boca humedeciéndolas con saliva hasta que explotaban y producían unas cosquillas que nos tumbaban de risa. Pero el más peligroso de los juegos, la más grande de las hazañas consistía en meternos a la casa de las brujas.

Esta enorme mansión a medio destruir, de los tiempos en que la prosperidad reinaba en la ciudad y el río era la principal fuente de transporte de mercancías hacia el interior del país, dominaba la cuadra. Lindaba con la de mis abuelos por el lado izquierdo y llegaba hasta la esquina ocupando media manzana. Tenía una enorme paredilla de calados que separaba su patio externo de la calle, además de dos árboles de mango de azúcar, uno de naranja, dos de tamarindo y uno de peritas de agua. En la planta baja había un enorme porche lleno de mecedores viejos y sillas de metal oxidado. En el segundo piso había pequeños balcones enfrente de las puertaventanas, de donde colgaban unas enredaderas a medio morirse y con las hojas empolvadas. La grama crecía indiscriminadamente sin saber lo que era un jardinero desde hacía años. Lo único que no tenía un aspecto olvidado era el rosal, que crecía en la esquina, frente a la verja de metal que servía de entrada al patio.

Dos ancianitas vivían en esta casa. Eran judías y se decía que nunca se habían casado puesto que eran brujas y las brujas son las novias del diablo. Una pareja de mulatos, tan viejos como ellas, cuidaban la casa y un perro chandoso y otro dóberman eran los encargados de asustarnos a nosotros: los intrusos. Afortunadamente mi hermano había tenido la gran idea de hacerse amigo de los perros dándoles pedazos de chocolatina y acariciándolos a través de la verja. También había descubierto la manera de saltar la paredilla: trepándonos por el árbol de roble y deslizándonos sobre una de las ramas llegábamos hasta el tope de la pared y luego caminábamos un trecho haciendo equilibrio hasta que llegábamos al punto donde se unía con la casa de mis abuelos. Debajo había una batea para lavar la ropa, lo suficientemente alta como para apoyarnos en ella sin tener que saltar, y de ahí bajábamos al piso.

Ese día el suelo estaba más lleno de hojas secas que de costumbre y mi hermano nos advirtió a mi hermana y a mí que debíamos pisar con cuidado para no hacer ruido. Los perros llegaron a saludarnos gimiendo de emoción, pero mi hermano los calló con un pedazo de chocolatina jet. Luego nos trepamos en los árboles y nos dedicamos a llenarnos los bolsillos de frutas, como siempre hacíamos. Las peritas de agua eran mi fruta favorita, rojas por fuera y blancas por dentro, con esa consistencia como de icopor lleno de agua o como de sandía. Pero este era el árbol que más cerca quedaba de la casa y mi hermano ya me había advertido que no me acercara, pues corríamos el riesgo de ser descubiertos. Aun así no me importó. Empecé recogiendo las que estaban en el piso y después me trepé para alcanzar unas rojas y gorditas que crecían en una de las ramas altas. Estando arriba me di cuenta de que me acercaba mucho a una de las ventanas de la casa y me puse a mirar hacia dentro.

Me encontré con un interior oscuro, abigarrado de muebles viejos y esculturas de mujeres desnudas y cabezas de hombre. En las paredes había platos pintados, lúgubres pinturas al óleo y una alfombra deshilachada que cubría el piso de ajedrez. La imponente escalera de madera, que moría a pocos metros · de la entrada principal y sobre la cual pendía una antigua y polvorienta araña de cristal, le daba un aire de palacete a la mansión. Seguramente muchas bellas mujeres habrían descendido por ella luciendo vestidos de princesa, como en las películas que mis papás nos llevaban a ver los sábados. De repente pasó la criada con una bandeja en la mano. Me asusté tanto que casi me caigo del árbol. Bajé cuidadosamente y les conté a mis hermanos lo que había visto. Siempre habíamos entrado a robarnos las frutas y ya. Explorar la casa era muy peligroso. Todos lo sabíamos pero ninguno dijo nada. Presos de la intriga, aceptamos el riesgo como acepta un soldado un deber de guerra y empezamos a caminar silenciosamente hasta llegar al árbol. Trepados en la rama, mirábamos hacia dentro. Al instante mi hermano quedó completamente fascinado y decidió que quería mirar más de cerca. Entonces él y mi hermana subieron al porche y desde ahí se pusieron a atisbar, agachados junto a la reja de metal retorcido que protegía la ventana. A mí me dio miedo y me quedé en el árbol. Me puse a comer peritas hasta que me aburrí y me bajé. Comencé a llamarlos suavecito, pero no me hicieron caso. Entonces lo vi. Otras veces lo había visto y hasta había intentado alcanzarlo sin éxito, metiendo la mano por entre la verja de metal. Me pareció que estaba muy cerca, a pesar de que adornaba el otro lado del patio. Sus flores de diferentes y hermosos colores se abrían, dándole la cara al sol. Atravesé el jardín medio agachada para que no me vieran y cuidando de no pisar hojas secas. Pero cuando llegué hasta el rosal me puse de pie, hechizada por el color y el olor de unas flores tan escasas y exóticas para el caluroso clima de la ciudad.

«¿Qué estás haciendo, niña?».

El corazón se me bajó a los pies. Al girar la cabeza vi al anciano mulato frente a mí, con su calva pelada color café con leche y las arrugas que le llenaban la cara de accidentes geográficos. Tenía una escoba de paja en la mano y vestía una camisa harapienta de tela gastada que llevaba desabotonada y dejaba ver su pecho flaco y escurrido y sus bracitos, tan gruesos como la escoba que sostenían. Se acercó hacia mí arrastrando los pies debajo del pantalón que se ceñía a su cintura con una pita y que estaba hecho para un hombre el doble de alto y ancho que él.

«¿Te gustan las florecitas? ¿A que nunca habías visto unas como éstas? ¿Qué pasó? ¿Te comieron la lengua los ratones?». Decía esto mientras brotaba de sus labios una sonrisa tenebrosa que ahondaba aún más los surcos de sus arrugas.

«No», dije.

«¿Cómo? ¿Qué dijiste?».

«No», dije yo más fuerte.

«¿Cómo entraste? Yo no te di permiso». Estaba paralizada, apenas podía hablar. Tuve ganas de salir corriendo pero las piernas no me respondieron.

«¿Qué es lo que tienes en los bolsillos?». El viejo estiró las manos hacia mí y sentí cómo estos delicados mecanismos, construidos a base de pequeños huesitos, buscaban frenéticos entre mis ropas, incluso en aquellos lugares en donde era obvio que no tenía bolsillos.

«Ah, te estabas robando las frutas. A tu papá no le va a gustar que le cuente lo que hiciste».

Miré hacia donde se encontraban mis hermanos esperando que voltearan a mirarme y vinieran en mi ayuda, pero estaban completamente abstraídos.

«Vamos a hacer una cosa: yo no le digo nada a nadie si tú vienes a jugar conmigo en esa casita».

El viejo señaló una pequeña habitación con la pintura mohosa y sin ventanas construida aparte de la casa y que servía de almacén para los muebles viejos y los implementos de jardinería. Se decía que las viejas hacían ahí sus rituales de magia negra y que un par de niñas habían desaparecido por una noche entera, apareciendo al día siguiente con los vestidos rotos y medio locas por haber visto a Satanás encuero. Mis ojos tenían que expresar el terror que se apoderó de mí, porque el viejo para convencerme añadió: «Además, si quieres te puedo regalar una de estas flores que tanto te gustan», y diciendo esto sacó de su bolsillo unas pequeñas tijeras de jardinería y cortó la más bonita de todas, quitándole además las espinas para que no me pinchara, y me la dio.

Yo la recibí medio atontada por el miedo, y el viejo me tomó de la otra mano y empezó a caminar hacia la casita. Busqué una vez más con los ojos a mis hermanos, pero ya estaban fuera de mi vista, tapados por una de las columnas del porche. El viejo buscó la llave entre sus cosas. Probó sin éxito varias de las que tenía en un gran llavero. Se agachó junto a mí desesperado, mientras seguía intentando abrir la puerta. Me tenía agarrada de la muñeca y me la apretaba cada vez con más fuerza mientras maldecía. Finalmente se desesperó, me recostó contra la puerta y comenzó a besuquearme ahí mismo, murmurando que no gritara o me mataba.

Lo que pasó a continuación no lo recuerdo muy bien. Ni siquiera sé si en realidad ocurrió, si lo soñé o si fue un truco de mi imaginación. Recuerdo un olor nauseabundo a madera podrida, tabaco y ron, mezclado con sudor y ese inconfundible olor de los viejos que te hace pensar en el orín. Un cuerpo frenético se agitaba contra mí, preso de un temblor parecido al que sorprendía a aquellos muñequitos de cuerda que mis tías nos traían de los Estados Unidos. Los ojos del viejo bailaban en sus órbitas, dando a su cara una dimensión de demencia. Balbuceaba palabras incomprensibles con una voz quebrada y jadeante, como si fuera víctima de un suplicio y estuviera pidiendo clemencia. Sentí huesos que se enterraban en mi piel, que se metían en mis calzones y hurgaban en mi ropa mis pechitos aplastados. Una baba fría y pegajosa empapó mi cuello y en el rostro me quedaba un rastro de fuego cada vez que el viejo restregaba su cara contra la mía. Una cosa larga, color piel, como un llavero, emergió por entre los pantalones gastados del viejo y éste la agitó en el aire con las dos manos. El corazón se me quería salir. Un líquido caliente bajó por mis piernas. Una sensación de asfixia y angustia, que no he sentido nunca más, se apoderó de mí. Sólo recuerdo con certeza que tenía la rosa en la mano. La miraba como se observa una obra de arte o un experimento científico. Veía cómo iba perdiendo pétalos hasta quedar convertida en un palito verde con la cabeza amarilla. De repente se escuchó una música de campanas y una voz muy fuerte que venía desde la verja. El viejo me soltó como impulsado por un resorte. Los perros salieron corriendo y ladrando furiosos. Allí, junto al rosal, estaba mi hada madrina con una varita mágica roja paralizando al viejo con sus poderes. Sólo había una cosa extraña en este cuadro de mi imaginación: mi hada madrina era de piel morocha.

En realidad era Toñita, que notando que nos demorábamos había decidido salir a buscarnos a ver si nos sorprendía haciendo alguna travesura. Desde el otro lado de la verja vociferaba diciendo: depravado, suelte a la niña, hijodeput... y otras malas palabras mientras tocaba el timbre de la casa una y otra vez. Con el díndong dindondín dong la empleada había dejado sus quehaceres alarmada y había salido al porche y en-

125

contrado a mis hermanos tratando de huir agachados y sorprendidos por la repentina presencia de Toñita. La mulata empezó a perseguirlos y mis hermanos comenzaron a correr con todas sus fuerzas hacia la paredilla. Pero ella detuvo su carrera a mitad de camino, intrigada por los gritos de Toñita.

Nunca antes me había alegrado al ver a Toñita tan enfurruñada: sus azules ojos inyectados en sangre miraron destructores al viejo, que ya se aproximaba a la verja olvidándose de mí e intentando hacer que se callara dando explicaciones sobre lo que había visto. Apenas se fue de mi lado recuperé la movilidad y no fue sino hasta que Toñita me hizo la seña de que huyera que salí en carrera hacia la paredilla. Atravesé el patio y escalé la batea en medio segundo. Lo que restaba de la flor debió haber quedado olvidado en algún lugar del patio, pues cuando llegué no la tenía.

Del otro lado mis hermanos me esperaban preocupados y me instaron a saltar al suelo. El golpe fue duro: al caer sobre ellos mi hermano se lastimó un tobillo y mi hermana se raspó los codos contra la tierra del patio. Nos incorporamos y corrimos hacia la casa, y sólo disminuimos la velocidad al llegar al comedor. Intentamos atravesarlo disimuladamente para llegar al patio de atrás, pero ya mis padres estaban alarmados al ver nuestras ropas y la agitación que llevábamos.

Mis hermanos mayores salieron peor librados que yo. Si había algo que molestara a mamá, más que cualquier travesura que hiciéramos, era que nos lastimáramos. Enfurecida, mandó a María por el botiquín mientras nos interrogaba sobre lo que había pasado. Ninguno de los tres dijo nada. Mirábamos al piso asustados, temiendo un sopetón de un momento a otro. Por encima del miedo estaba el juramento de fidelidad y silencio que habíamos hecho un día, al principio de la enfermedad de la abuela, en el callejón lleno de hojas. Los piratas nunca revelaban la ubicación de su tesoro y para nosotros el diario de nuestras travesuras era lo más preciado que teníamos, y crecía en riqueza a medida que pasaban los años y lo escribíamos en nuestras mentes.

Toñita llegó cuando mamá le untaba mercurio-cromo en los codos y las rodillas a mi hermana, que apretaba los dientes mientras se le aguaban los ojos en silencio. Mamá la interrogó sobre lo ocurrido y dijo que nos había sorprendido molestando a los perros de la casa de al lado y que nos habíamos caído al salir corriendo para escapar de ella. Nunca supimos por qué Toñita no nos delató ese día.

A la semana volvimos como siempre y nos enteramos de que el viejo se había esfumado misteriosamente de la casa de las brujas. En el barrio los niños comentaban que las brujas lo habían desaparecido por atreverse a cortar la más hermosa de las rosas, pero yo sabía que la que en verdad lo había desaparecido era Toñita con sus azules ojos fulminantes y un rezo de hierbas que probablemente había hecho en su cuarto, invocando a Changó y a los demás dioses. Mis hermanos y yo nunca hablamos entre nosotros de lo ocurrido y no volvimos ni siquiera a acercarnos a saludar a los perros, que cuando nos olían empezaban a gemir y a ladrar de emoción.

A partir de ese momento, Toñita empezó a tratarme diferente. A veces me sorprendía hurgando en la nevera y se hacía la que no me veía y otras veces se aparecía con pulseritas o collares de cuentas y me los ponía debajo de la ropa diciendo que eran de tal o cual dios para que me protegiera de los malos espíritus y de la maldad del hombre, y me hacía prometer que nunca le dijera nada a nadie de lo ocurrido.

Varios años después, cuando los abuelos murieron y mis papás vendieron la casa y tuvieron que despedir a las empleadas, me enteré del porqué de su trato tan especial. Toñita nunca se había casado ni tenía hijos, y al morir los viejos, decidió regresar a su pueblo natal a pasar allí sus últimos años. Al final estaba ciega por las cataratas y vivía en casa de uno de sus sobrinos. Mis padres le seguían mandando algo de dinero a manera de pensión y cuando murió fuimos al entierro. Por las callejuelas de arena mis hermanos y yo seguimos por primera y última vez a Toñita y al cortejo de familiares vestidos de negro bajo el sol implacable del mediodía y la brisa caliente que levantaba polleras. Uno de ellos, su hermana, me comentó mientras caminábamos que la pobre Toñita había sido ultrajada de niña por un vagabundo que rondaba el pueblo, luego de lo cual ningún muchacho se había decidido a hacerla su esposa, a pesar de que tenía las caderas más rellenas y la piel más brillante y oscura que otras muchachas. Con los años se había ido a trabajar a la ciudad y a pesar de que tuvo varias proposiciones por parte de jardineros y choferes que trabajaban en las casas de los más ricos, nunca se había juntado con ningún hombre. Yo olvidé el incidente del viejo casi antes de que ocurriera. Pero Toñita no, la pobre Toñita.

XIMENA MEXÍA

El fruto prohibido

Cuando mi querida amiga Maria Encarna me prestó su apartamento en el edificio Jardín —y esto fue hace muchos años, tantos, que ya perdí la cuenta— me hizo un recorrido cuarto por cuarto, puerta por puerta y estante por estante. Me explicó cómo hacer para que la llave del lavaplatos no goteara, me enseñó las mañas de la vieja cerradura, me previno del resorte afilado del colchón y de un sitio donde uno siempre se golpeaba la cabeza si no tenía cuidado, y por último me dijo que podía comer y beber de todo lo que había en su casa, sin reservas. Solamente, me rogó, «no te tomes ni un trago de esta botella de coñac, que es un coñac muy raro que aquí no se consigue, y es el único capaz de quitarme la melancolía». Envolvió la botella —que estaba sin descorchar— en un celofán amarillo, hundió el paquete hasta el fondo del bar para que quedara claro que no debía tocarlo, y luego se fue. Yo volví a abrir el bar: había otros tipos de brandy y de coñac, había vinos, rones, aguardientes, había montones de whisky, había ginebra, vodka, kirsch, sake, lo que quieran. En la cocina, además, podía disponer de todas las provisiones de pasta, aceite, vino y arroz. En fin, nada me iba a faltar. Sólo de aquel coñac yo no podía beber.

En aquella época yo vivía con Eva, mi primera mujer, pero ella no llegó sino dos meses después. Cuando Eva llegó, yo le hice el mismo recorrido de la casa que me había hecho Maria Encarna, le expliqué los trucos de los muebles y de los aparatos, y también le mostré las maravillas de la despensa y del bar. Le advertí, por último, que de esa botella envuelta en celofán amarillo, el coñac de Maria Encarna, no debía beber. Advertencia casi inútil, además, porque a Eva solamente le gusta la cerveza, pero es mejor prevenir que remediar lo incurable.

Una tarde, al volver del trabajo, encontré a Eva en la sala, sentada, con ojos de ensoñación. Tenía en las manos, apoyada en el regazo, la botella cerrada de coñac. Le había quitado el celofán y miraba con curiosidad la etiqueta. «Clarividencia», alcancé a leer, antes de arrebatarle la botella de las manos, de envolverla de nuevo en el celofán amarillo y de ponerla en lo más alto del armario, detrás de los edredones que se usaban en las heladas de enero, en una esquina casi inalcanzable para la baja estatura de Eva. Le advertí que no volviera a tocar esa botella.

Fue entonces cuando se apareció aquel reptil, el catador. Yo no estaba ese día que Eva le contó todas las maravillas que había en aquel apartamento de Maria Encarna, y cómo de todos los licores podían beber, menos de aquel que yo había escondido detrás de los edredones, el coñac envuelto en celofán. El catador

quiso ver la botella y al instante la declaró un buen coñac, pero no tan raro, un vulgar noséqué de una re-
gión francesa; él mismo podría conseguir cinco botellas
de esas al día siguiente, si se lo propusiera, con sólo ir a
la tienda de licores de un amigo. Una virtud sí tenía ese
coñac, añadió, y era que quitaba para siempre la melancolía, y era bueno probarlo. Aunque fuera un traguito.
Eva accedió a probar, un solo dedo, a ver cómo se evapo-
raba en sus vapores la melancolía. Iban por media botella cuando yo llegué. Eva estaba cantando y el catador
chasqueando la lengua de placer. Ambos muy felices y
brindaron a mi salud. Cuando yo lo probé (qué más iba
a hacer, se lo iban a acabar), sonó el timbre de la puerta.
Era Maria Encarna que llegaba a pedirnos el apartamento. Respaldada por un amigo a cada lado, Gabriel y Miguel, con miradas de ira que parecían escupir fuego,
esperaron hasta que (recogidos los corotos, con la mirada al suelo y la sensación de ir desnudos) atravesamos la
puerta de aquel efímero paraíso terrenal.

LILIANA RICO

QAP

Aunque estaba pasada de hambre, QAP no tuvo más remedio que unirse a la confabulación. Ni Jesús, ni Policarpa, ni la Virgen María, ni el Ñato Narciso, ni Tomate, nadie, ninguno quiso darle ni un sorbo a la sopa de sancocho de gallina de esa noche.

Entre los del *Hache* existe un pacto que se respeta siempre. Cada convidado nuevo —en contra de todo pronóstico— entiende pronto las reglas. Pacto igual música, igual paseo por el patio, igual televisión, aunque sólo sea media hora, qué importa, a QAP con eso le basta. Pero también sin eso se muere.

Y es que cuando a alguno del *Hache* le da por loquear, es mejor seguirle la corriente —eso lo digo por experiencia—; en suma, todos los locos hacen locuras y esa mañana le tocó ejercer a Jesús y, bueno, el desvarío sólo había costado la cena.

En la ronda diaria de las cinco, Jesús le reveló al doctor por enésima vez —y no estoy exagerando— su verdadera identidad: él era el mismísimo JESUCRISTOHIJODEDIOS, concebido por obra y gracia del Espíritu Santo, y esta vez tenía testigos —o mejor, víctimas; las cosas hay que llamarlas por su nombre—.

135

—Todo sucedió esta misma mañana, dóctor. En vista de que el desayuno del *Hache* es tan escaso, con perdón suyo, y de que todos estaban como enloquecidos exigiendo una ración extra de huevos pericos, me tuve que apiadar de estos pobres pecadores y en un santiamén hice el milagro de los panes y los peces y todos comieron hasta hartarse; se lo juro, dóctor, hasta hartarse. Y ya verá, ya verá que esta noche nadie cena en el *Hache*.

—¿Conque así es la cosa? Qué le parece si hacemos un trato: usted me hace otra vez el milagro, ¡pero que yo lo vea!, y yo le aseguro que hoy mismo sale de aquí —es que el doctor Palacio es tremendo—.

—Ah, no, dóctor; ¿cuándo escuchó usted que JESUCRISTOHIJODEDIOS, concebido por obra y gracia del Espíritu Santo, repitiera milagro? Usted todavía no entiende lo que es la fe, dóctor.

Las noticias en el *Hache* vuelan: esta noche nadie cena, están hartos de pescado. Esta noche nadie cena, están hartos de pescado. Esta noche nadie cena...

Y así fue, nadie cenó, pero como no se puede castigar a tantos insensatos a la vez —eso sí sería una locura—, nadie se quedó sin escuchar música, sin el paseo por el patio, y sin televisión. Justo para ver QAP, el noticiero que presenta Jorge Alfredo Vargas por el canal dos, de lunes a viernes de 9 a 9:30 p.m.

Como cada noche después de ver el noticiero, ella se queda extasiada. Va a su pieza, se quita la gargantilla de brillantes, cuelga el vestido verde de lentejuelas, se deshace el tocado del pelo y sale a levitar por los pasillos del *Hache*.

—¡QAP! Ahí está usted feliz después de ver a su Jorge Alfredo, ¿no? —le grita Tomate desde el fondo del pasillo. Tomate, el más nuevo del *Hache,* se ganó el mote porque cada vez que habla en público se pone colorado y como para él la única forma de no hablar en público es hablar solo, pues vive encendido.

—No me moleste, Tomate, que usted no conoce la historia; espere y verá que un día se la cuento y se cae para atrás —y no se imaginan ustedes qué tan para atrás—.

Lo de QAP es un apodo reciente, pero la historia viene de atrás.

Josefina Villegas de Restrepo, oriunda de Fredonia (Antioquia). Piel trigueña, nariz recta, uno con cincuenta y cuatro de estatura, casada, madre de seis hijos varones. Cincuenta y nueve años.

En la hoja de entrada de doña Josefina al pabellón *Hache,* la causa de reclusión aparece con las mismas palabras que después de cinco consultas logró sacarle el psiquiatra, aunque sólo bajo juramento de secreto de Estado: «Jorge Alfredo Vargas, el presentador del noticiero QAP, está acabando con mis cuarenta y tres años de matrimonio».

Cinco consultas a las que fue obligada por su marido —el pobrecito de Bernardo—, creyendo que el doctor Palacio era uno de esos médicos especialistas en arreglar matrimonios deshechos. Como lo era el suyo después de cuarenta y tres años.

Pero la verdad —y lo digo porque a mí me consta— es que doña Josefina nunca hizo nada para provocar el enamoramiento compulsivo, lunático, y todo hay que decirlo, tan romántico, entregado y tenaz del joven presentador de noticias.

Doña Josefina ha sido siempre una mujer de guardar. Su único pecado lo heredó de su tatarabuela, que tenía la aberrante costumbre de montar a caballo a lo hombre, con las piernas abiertas.

Un día la descubrió un chupacirios y el incidente llegó a oídos del cura del pueblo, que no dudó en excomulgar de inmediato a la amazona.

En los tiempos de las tatarabuelas solamente el sumo pontífice podía impartir la orden de volver a dar comunión a los pecadores, que sólo descansan en paz cuando llega la misiva firmada por el santo padre absolviéndolos de su falta.

Pero los vecinos y el cura le perdonan el pecado a doña Josefina —ni más faltaba—. Todos sabemos lo demorado del correo y más si viene de tan lejos. De todas formas la carta llegará de un momento a otro.

Por lo demás, doña Josefina es, como se dice, toda una dama —¡y qué dama!—. Con hábitos de higiene más o menos aceptables, de buen vestir, de buen comer, devota, buena conversadora, madrugadora, lectora voluntaria para ciegos hasta hace muy poco, madre abnegada y esposa obediente y sufridora; es decir, como Dios manda.

Eso en el *Hache* todos lo saben. Desde el mismo día en que la ingresaron, sólo bastó con reparar en ella unos minutos —algunos reparamos más que otros— para pasar la noticia: «La nueva es término medio, la nueva está en su punto».

Y es que en el *Hache* otro código importante que hay que aprender rápido es el de los términos de clasificación de los locos, que son muy fáciles porque son los mismos que los de la carne.

Si el nuevo loco es «poco hecho», significa que está muy loco pero es mansito. Si el loco está «en su punto» o «término medio» es que está loco pero no tanto, y si está «pasado» o «muy pasado» es peligroso o muy peligroso.

Por eso los del *Hache* se pusieron tan contentos —unos más que otros, eso también hay que decirlo— al ver llegar a QAP, pues la mayoría allí son «término medio».

Pero ojo, no nos perdamos, eso no quiere decir que uno «muy pasado» no pueda cambiar de la noche a la mañana a un «término medio», o al contrario, como le sucedió al pobre Tomate, que llegó «en su punto» y ahora está pasadísimo.

Así son las cosas. Pero la gente cree que en el *Hache* están todos pasados.

Justo estaba terminando de freír la última tanda de empanadas para vender en la esquina, ella preparaba las frituras y su vecina el ají, cuando lo notó por primera vez.

Fue quizás la forma en que la miró: directo a los ojos y durante más de veinte segundos seguidos —y hasta más—. Ningún hombre, ni siquiera Bernardo en las épocas del frenesí, había sido capaz de sostenerle la mirada durante tanto tiempo. Pobrecito Bernardo, tan tímido.

O quizás fue su sonrisa, que aparecía justo después de que ella le sonreía, una sonrisa que calzaba exacto con la suya, que le sonreía a ella, sólo a ella mientras la miraba fijamente.

Pero sólo fue hasta que vinieron los anuncios, cuando doña Josefina se percató de lo desarreglada que estaba ¡Pero si parecía una piltrafa! ¡Por Dios! Y corrió a quitarse el delantal de cocina, a medio peinarse y a echarse un poco de aceite de freír en los labios para que le brillaran.

—¡Pero, mujer! ... ¿A ti qué te pasa que estás como tan peinadita? —se burló Mela, que llegaba con el frasco de ají.

Doña Josefina tuvo que apagar el televisor, no sin cierto pesar —eso lo reconoce ella— para salir a vender las empanadas.

Al día siguiente ya no fueron sólo la mirada y la sonrisa; ya el muy descarado —eso tampoco lo digo yo, ni más faltaba— le picaba el ojo, el ojo derecho. Le apuntaba con el dedo, como para indicarle que sí, que la cosa era con ella y con nadie más. Doña Josefina tuvo el cuidado esta vez de quitarse el delantal antes de que empezara el noticiero y ponerse el par de aretes de perlas que le regalara Bernardo en las bodas de plata, que eran exactamente iguales a los que le había regalado en el quinto aniversario. Pobrecito Bernardo, tan desmemoriado.

Pero la seducción se hizo cada vez más atrevida, más evidente y uno no es de palo —que conste que eso también es de su propia cosecha, que el servidor no se está inventando nada—. El presentador no tuvo reparos ni con la edad —«¡podría ser su madre!»—, ni con los cuarenta y tres años de religiosa convivencia, ni con los seis hijos varones, ni siquiera con la nieta de apenas cinco años. Se dedicó a conquistarla a diario, de lunes a viernes y de 9 a 9 y 30 p.m., y ella primero, por no hacerle el desaire, comenzó a acicalarse un poco —que al fin y al cabo es un presentador de noticias famoso y se merece respeto— y después, qué quieren que les diga, después ella también se enamoró.

Pero, claro, ¡quién no se enamora!

Nunca le faltó a una cita, siempre estuvo puntual e impecable con sus trajes tan bien planchados, sus corbatas tan modernas, la raya de lado que le luce tanto, esos ojos que se le clavan en sus ojos, esas manos que le hablan por señas —debe ser por ese sexto sentido tan desarrollado que tiene doña Josefina—, pero ella muy pronto aprendió a descifrar cada señal, cada gesto, cada clave que él se inventaba sólo para ella y nadie más.

Y ella, cómo no, tan puesta, con sus trajes de salir que lucía sólo durante esa media hora y luego se quitaba a toda prisa para ir a la esquina a lo de las empanadas. Con sus pendientes nuevos que le colgaban de la oreja al cuello, juguetones. Con sus variados y modernos peinados.

¡Quién no se enamora! —díganmelo a mí— .

El pobrecito de Bernardo, tan tímido, tan desmemoriado, vio lentamente cómo las cosas pasaban de castaño claro a castaño oscuro.

QAP lleva apenas cuatro meses en el *Hache* y la verdad es que nunca se le ha visto fuera de sus cabales, solamente un día se puso muy nerviosa, pero eso sí, con toda la razón. Fue cuando el Ñato Narciso decidió pegarse a la pantalla del único televisor del *Hache* porque el doctor Palacio lo había castigado quitándole su espejo de mano, al cual vive aferrado todo el tiempo, aplastándose la nariz contra él y mirando encantado esa imagen que le devuelve el cristal: una nariz ñata entre un par de ojos bizcos que a él le deben de parecer hermosos.

Veinticuatro horas aguantó el Ñato Narciso pegado al televisor, pero la que no pudo aguantar fue QAP. Ella se queda sin comer, sin música, sin el paseo del patio, pero si le falta su media hora de noticiero se pone muy nerviosa, igual que los fines de semana, en los que se la ve triste, pálida, callada.

Como escribió un amigo mío —lo cito porque es de los buenos—, «Los locos de atar, los de remate, los locos de contentos, o los locamente enamorados, todos están locos». Yo me identifico con los dos últimos: los locos de contentos y los locamente enamorados, aunque en todas mis hojas de entrada al *Hache* la causa de reclusión siempre sea la misma: «Personalidad múltiple con ideas persecutorias y alucinaciones».

Lo de «personalidad múltiple» yo no sé, pero lo de alucinado sí, eso sí. Y es que después de oír la historia de doña Josefina yo sí que me caí para atrás.

Les juro que yo no tenía la menor idea de que era correspondido. Hasta ahora he vivido de incógnito en el *Hache*, todos me conocen como el *Quincecaras*, apodo que me pusieron cuando me internaron por primera vez, hace ya como veinte años. Además, mis intenciones siempre fueron sanas, me enamoré perdidamente y me dediqué a galantearla, pero siempre fue un amor imposible. Me inventé gestos, señales secretas, acudí puntual a sus citas y bueno, para qué sigo, ustedes ya saben la historia.

Pero ya no quiero salir más de aquí. Se acabó el *Quincecaras*. Ahora sí se van a enterar de quién soy. Esta vez descubro mi verdadera identidad y me quedo. Me quedo porque ahora sí estoy loco, loco de amor.

¡Qué carajos! El noticiero QAP será de ahora en adelante de lunes a domingo y doña Josefina nunca más volverá a estar triste los fines de semana.

RUTH RIVAS

Amputaciones

Se miró al espejo y vio sus senos pequeños y firmes resaltados en él. Acarició sus pezones color chocolate y pensó que eran muy hermosos, justo como le había dicho Érika que debían ser los pezones de una mujer. Pensó también que sin ellos Érika no la querría más. Un grueso trago de saliva corrió por su garganta.

Ahora Sara está sentada en la sala de espera de un hospital. Tendrá que aguardar para ser remitida a cirugía porque anoche hubo un ataque guerrillero en inmediaciones de Buga: los muertos son más de doscientos y los heridos unos quinientos, aún sin confirmar; «dicen que las tropas entraron dando bala así sin más ni más, pero yo no creo, casi no hay heridos de bala, la mayoría son quemados y mutilados... mutilados. Los mutilados que llegan aquí tendrán que ser mutilados nuevamente en el quirófano. La ley de las amputaciones: el que entra a cirugía sin una mano, saldrá de ella sin su antebrazo. Usarán anestesia... Eso espero».

Ya han pasado dos horas desde que Sara está sentada esperando su turno, y en estas dos horas su vida se le ha desprendido en retazos de video. Recuerda a Érika,

145

y se muerde los labios. Se levanta con las pocas fuerzas que tiene y se dirige al teléfono.

«Aló, hola; llamaba para decirte que te amo mucho, estoy... Tuve que salir de viaje, volveré en dos meses; yo te llamo...». No deja su nombre, no es necesario. Érika está al otro lado de la línea, escuchando su voz; la está castigando. Sara ya no quería estar con ella, hacía dos meses que se había vuelto una histérica; a Sara ya no le gustaba cuando la miraba desnuda con cara de idiota, ni tampoco disfrutaba cuando ella le besaba los senos. Y Érika se había ido haciendo a la idea de que, algún día muy cercano, Sara le dejaría un mensaje como el que acababa de escuchar: «Muy bien, todo se ha terminado, otra vez todo se ha terminado».

Érika se dirige a la máquina contestadora y no puede o no quiere pulsar el botón para borrar el mensaje porque lo que más le gusta de Sara es su voz, no sus senos, como ella piensa.

Una hora después, Érika está sentada en la barra de un bar, acordándose en cada trago de que debe ser fuerte; ya otras veces ha pasado... Siempre pasa, siempre se acaban las cosas... Pide la cuenta y se levanta, sale a caminar por la ciudad; no trae chaqueta y se resfría con la brisa.

De todos los transeúntes, ella es la menos loca, la menos borracha, la menos enferma. Todos los que caminan a esa hora de la madrugada lo hacen porque no se soportan en su propia piel, porque van en busca de algo. Érika va en busca del amor y sabe muy bien que no lo encontrará esta noche. Otros van en busca de la muerte... Tal vez la encuentren.

A Érika le gustaría que un carro la atropellara, o que uno de esos ladrones con los que se topa se atreva a abordarla y a matarla; «mañana será otro día». Se detiene frente al hospital, donde las ambulancias no paran de llegar. Si hubiera sido otra noche, una normal, Érika habría entrado a fingir un ataque de depresión para que algún doctor primerizo y asustado le recetara antidepresivos. Pero cómo es la vida: justo hoy que no tiene que fingir estar deprimida, justo hoy, el hospital está atiborrado de mutilados.

Érika no soporta las amputaciones, se le eriza la piel cada vez que ve a alguien mutilado. «Esa gente no debería seguir viviendo, para qué». Ella no cree en la autosuperación: «Una vez que te amputan algo, su ausencia es la prueba más patente de que antes estuvo allí; ni el cuerpo ni el alma se recuperan nunca...». Así le dijo a Sara cuando hablaron del tema. Vuelve a su paseo nocturno.

Después de colgar el teléfono, Sara regresa al mismo asiento. Quisiera devolver el tiempo y borrar el mensaje de la máquina, quisiera hacerlo retroceder dos meses atrás y no escuchar la palabra mamoplastia salir de la boca del médico, quisiera regresar hata el día en que Érika y ella se declararon sin temores su amor, quisiera detenerse en ese día y vivirlo una y otra vez hasta la muerte. Entonces recuerda las palabras de Érika, su olor, sus ojos, su sonrisa, sobre todo su desprecio por los mutilados. Piensa un momento cómo sería su vida sin ella y se encuentra ante el vacío: curada pero deforme, viva pero sin Érika. Toma una decisión: recoge de la bandeja de la enfermera sus papeles de remisión a cirugía y se dirige con paso firme hacia la salida. La espera la promesa de una vida corta pero feliz; después de todo, todos tenemos que morirnos. ¿Y el dolor? ¿Qué le dirá Érika cuando el dolor no le permita amarla?...

—Sara, Sara González —grita una enfermera. Sara se detiene ante la puerta. No mira hacia atrás ni hacia adelante, sólo cierra los ojos.

CAROLINA SANÍN
—

Radio Clásica

La voz que presentaba el programa de la una de la tarde no podía contener la risa. Se tragó una carcajada al anunciar el cuarteto trece, carraspeó antes del catorce, pareció que sollozaba, fingió una tos y siguió fracasando hasta que interrumpió la transmisión del concierto de Sánchez para dar paso a la orquesta de González, que afinaba en directo para una sinfonía de Domínguez en el Teatro Nacional.

Yo bajé el volumen de mi radio, cogí el teléfono, marqué el número de Información, pedí el de Radio Clásica, llamé y pregunté si podía hablar con la dueña de la voz. Me dijeron que se llamaba Margarita y que la llamara después de dos minutos porque estaba descansando, acababa de morder un pan y necesitaba un vaso de agua.

Subí el volumen, oí el oboe y caminé hasta la cocina, dando un rodeo para no pasar por delante de la mesa de centro de la sala, que me trae malos recuerdos. Cuando regresé a la sala, había pasado un minuto. Volví a llamar a Información para pedir el número de Radio Clásica porque me lo había aprendido de memoria y no lo recordaba. Oí una viola. Me pareció bien afinada. Pasó el otro minuto, bajé el volumen del radio, llamé a la emisora y pedí la extensión de Margarita.

—Si tuviera otra voz —dijo ella— ni siquiera le habrían dicho que esperara dos minutos.

—¿Otra voz?

—Si usted no tuviera la voz tan clara le habrían dicho que no volviera a llamar nunca.

—Sí me extrañó que hablar con usted fuera tan fácil.

—No es que yo sea famosa. Es que la gente que llama por teléfono es muy rara.

Le dije que sólo quería que me contara qué la había hecho reír, para ver si me reía yo también.

—¿Tanto se notaba?

Contó que cuando salía del aire dejaba de sentir hilaridad. En cambio, le daban ganas de comer. Pero cuando salía al aire le volvía la risa. Así había estado durante todo el programa, sin poder reírse un poco y sin estar seria ni un segundo, muerta de hambre.

—Pero ¿de qué se reía?

—¿Por qué?

Le dije que no soportaba que alguien se riera sin que yo supiera de qué. Ella preguntó si yo siempre pensaba que los otros se reían de mí.

—No —dije—, nunca he pensado que se rían de mí.

—He olvidado de qué quería reírme —dijo ella.

—Si usted me conociera, entendería que no puedo soportar las ganas de saber.

—Empiece por tratar.

—Y si no pudiera tratar y usted pudiera acordarse, ¿me diría qué le ha dado risa?

—No lo sé.

—¿Era una historia?

—No era nada.

—Por favor.

—No.

—Por favor.

—Pero, ¿a usted qué le importa?

—No es que me importe, sino que me da curiosidad.

Seguí pidiendo y ella siguió negándose, hasta que contó que lo que le había hecho gracia era algo que había dicho uno de sus colegas antes de poner la música de Sánchez.

—Pero no me hizo gracia —corrigió—. No me reía por *gracia*.

—¿Se burlaba?

—No.

—¿Por vergüenza?

—No —dijo con la boca un poco alejada de la bocina, me pareció, y por eso alejé un poco la oreja del auricular.

—¿Cuántas clases de risa puede haber? —le pregunté.

—¿Qué?

Ella había alejado también la oreja. Yo acerqué la mía, sin alejar la boca.

—¿Qué clase de risa pudo ser?

—Era como tener un pie en la garganta. Pero el pie no le hacía cosquillas a la garganta, sino más bien la garganta a la planta del pie. Mi colega hablaba de un hombre que estaba tan cansado que llevaba la lengua bajo el brazo.

—¿Y qué le dio risa, exactamente?

—Imaginarme a alguien con la lengua bajo el brazo.

Dije alguna sílaba desilusionada. Y gracias, Margarita.

Ella dijo que yo podía llamar un día al programa *Clásicos a la carta* y dejar grabado en el contestador el nombre de cualquier melodía que quisiera oír.

—Hoy mismo, si quiere —dijo.

—Gracias, Margarita, pero nunca dejo mensajes.

De todas maneras, quería saber mi nombre por si le dejaba uno.

—Lili, dije.

—Si oigo en el contestador que llamó Lili haré sonar en seguida lo que pida. Incluso si es una sonata de María.

Colgué y subí el volumen. La orquesta había terminado de afinar. ¿Qué María? No conocía a ninguna María. Caminé despacio hasta el cuarto de baño, dando un rodeo para no pasar por delante de la mesa. En el radio, Margarita anunció la sinfonía de Domínguez y contuvo al aire más risa. Tarde o temprano iba a reírse de verdad, pero yo tenía que irme.

Me peiné de prisa creyendo que oía llover dentro del espejo, pero sabía que un lugar en el espejo no existía. Detrás del espejo estaba la pared, detrás de la pared la chimenea, encima de la chimenea el radio, y fácilmente descubrí que el sonido de lluvia no era de la lluvia sino del aplauso del público a la orquesta de González. Salí a la calle y me perdí el resto del programa.

—Hay cosas que yo no quisiera ver —le decía una vieja a una más vieja en la esquina del Paseo y la Diagonal.

Después cambió el semáforo y las tres cruzamos la calle.

En su estudio, Bruno me ofreció una taza de café y me dijo que la bebiera rápido para comenzar con la segunda sesión de mi retrato.

—Así podrás irte pronto, regresarás temprano a tu apartamento, te acostarás a buena hora y te levantarás a tiempo.

El peinado que yo me había hecho mientras creía oír llover era apenas parecido al que había llevado a la primera sesión de mi retrato, pero a Bruno le pareció exactamente igual.

—Es igual. De todas maneras, ya terminé de hacerte el pelo.

—¿Y esta camisa amarilla que tengo puesta?

Me dijo que me la quitara y me pusiera la rosada de la otra vez. La encontré en el espaldar de una silla, iluminada por un rayo que entraba polvoriento por el tragaluz.

—Tiene las mangas hacia adentro —dije.

—¿Y qué?

Volví las mangas de la camisa rosada al derecho y me quité la camisa amarilla. Bruno me miró el pecho y se sonrió al ver que bajo la camisa no aparecía la piel sino una camiseta interior blanca. Me quité los zapatos, me puse la camisa que me estaba destinada, me abotoné, me acomodé en el banco alto de madera y me quedé quieta.

—Ahora estás saliendo mejor —dijo Bruno detrás del caballete, cuando no habían pasado diez minutos.

—Ahora estás saliendo peor —dijo después de media hora.

Le pregunté si podía posar con los ojos cerrados.

—¿Para qué?

Miré hacia la pared blanca y vi un cuadro con tres alcachofas verdes.

—Las pinté en Sasaima —dijo Bruno.

—¿Qué es Sasaima?

—¿Nunca has estado?

—No.

—¿Estás mirando fijamente la pared?

—Tanto como puedo. A veces se desenfoca porque imagino cosas.

—¿Qué has imaginado?

—Un riñón.

—¿Y ahora?

—Que Diego está en la cocina del apartamento con una papa en una mano y un cuchillo en la otra. Yo entro, le quito el cuchillo y la papa, y pelo la papa con el cuchillo. Tiro la piel a la basura y le pregunto a Diego cómo quiere que corte la papa. Me dice que la quiere en cubos grandes. Corto cubos, aunque no grandes porque la papa es pequeña. Luego salgo gateando por la puerta que da al pasillo, que es sólo la mitad inferior de una puerta. No salgo por la puerta que da a la sala para evitar pasar por delante de la mesa de centro, que me trae malos recuerdos. En el instante en que siento la alfombra del pasillo bajo las rodillas, oigo caer los cubos de papa a mi espalda, en el agua hirviendo.

—A mí las papas van a gustarme hasta que me muera —dijo Bruno—. Hasta después de muerto.

Alguien silbó desde un balcón.

—Dejemos el resto para después —dijo Bruno—. No falta casi nada.

—Dejémoslo para otra tarde.

Y me fui a pasar lo que quedaba de esa tarde en el supermercado.

Oscurecía cuando llegué a la caja. Adelante en la cola había una pareja. La mujer calculó cuánto iba a costarle la compra. El hombre dijo que no iba a ser tanto como ella calculaba.

—Ah, sí —dijo la mujer—. Tienes razón. Estará más cerca de veinte que de cuarenta mil.

El hombre le apretó la oreja entre el dedo índice y el corazón.

—¿Ves, mi equivocada? —dijo metiéndole la lengua en la otra oreja.

—Veintidós mil —cobró la cajera, y recibió el dinero exacto.

Extendió el brazo para coger mi lechuga, tecleó el precio, agarró mi frasco de mermelada y lo pasó por el lector de códigos de barras.

—Siempre estás equivocada y por eso yo te quiero tan poquito —canturreó el hombre en la oreja de su mujer.

Ella se dio cuenta de que yo lo había oído, y las mejillas se le calentaron. Él se dio cuenta también, y para disimular su turbación, como si nada importara, siguió cantando el mismo verso mientras empacaba su compra, pero cada vez más bajo, hasta que se quedó en silencio e hizo como si viviera un minuto antes y no hubiera cantado nada.

Yo me olvidé de comprar agua, y no me di cuenta hasta que entré en mi apartamento. Tenía que bajar la escalera e ir al supermercado nuevamente.

—Buenas tardes —oí que decían entre el primer piso y el segundo de mi edificio.

—Buenas noches —respondieron.

Supe que el primer saludo era de Diego, que volvía del molino todos los días a la misma hora, y que la respuesta venía de la portera, pero llegué abajo sin haberme encontrado en la escalera con ninguno de los dos. Crucé el vestíbulo y abrí el portón de la calle. Un hombre rubio y de anteojos dorados, como los hombres con los que soñaba Susana, esperaba a que le abrieran a través del citófono. No entró, a pesar de que yo sostuve el portón abierto antes de salir y aun durante unos segundos después de haber salido.

Pensé en los gustos raros de Susana y en la desaparición de Diego y la portera.

Volví al edificio con el agua, llegué al apartamento, entré en el dormitorio y empecé a escribir «un saludo que no va ni viene» en mi cuaderno. Cuando dibujaba el arco de la *n*, se alzó la cortina que separa el dormitorio del pasillo y apareció Diego con el pan del día, puntual para no perderse los nocturnos de Gutiérrez. Lo besé en la boca y le pedí que me explicara la frase escrita en el cuaderno.

—¿Dónde estaban la portera y tú cuando se saludaron? —pregunté—. ¿Y dónde estaban después?

Sentada en el borde de la cama escuché la explicación, y cuando sentí que había comprendido todo dejé que Diego fuera a buscar el radio.

Lo encontró encima de la chimenea de la sala, donde yo lo había dejado.

—Pasé por delante de la mesa del centro —dijo cuando estuvo de regreso, mientras conectaba el radio a la pared.

—¿Y qué pasó?

—A mí la mesa no me recuerda nada, qué quieres que te diga.

Subí el volumen. La voz que presentaba el programa de las ocho no parecía la de Margarita ni parecía tener risa.

—¿Tú de qué crees que se reía Margarita? —le pregunté a Susana por teléfono, después de contarle todo lo que había hecho esa tarde.

Susana subió el volumen de su radio, tomó aire, bajó el volumen, y dijo que tal vez a Margarita le había dado risa imaginar qué pasaría si, mientras transmitía una obra, describía por el micrófono los movimientos del director de la orquesta.

—Imagínate: «Ahora la batuta sube, señores y señoras, señala a un lado, baja despacio por la derecha, flota, dibuja un círculo, un rombo, un óvalo, describe una medialuna, gira hacia la derecha, vuelve en diagonal, se mueve hacia la izquierda en línea recta, avanza, se encuentra con la mano que no tiene batuta, empieza a bajar, sigue bajando…».

Quién sabe desde hacía cuánto tiempo venía pensándolo Susana.

ANDREA VERGARA

Asunto familiar

Conducir por una avenida en un auto comprado por papá como regalo de grado representa uno de aquellos placeres que entran en el territorio de lo indescriptible. Ahora que lo pienso mejor, de algo sirvieron todos esos años de colegio y escoger la carrera de derecho como la elección de mi vida. Gano distancia con el coupé del lado en un giro a la derecha y siete cuadras más abajo estaciono frente a una enorme puerta de madera. Saludo a Marina, el perro me olfatea, oigo pasos apurados en la escalera, Marina recibe mi bolso y me indica el estudio como sala de espera. Me acomodo el cabello, hojeo las últimas adquisiciones y recuerdo la cita con mi madre en la peluquería. Javier aparece con su característico saco dos tallas más pequeño y ese rasgo en los labios que no se alcanza a definir como una sonrisa. Me cuenta algunas de sus actividades matinales y los inconvenientes del tapón de su bañera. No percibo la minuciosidad de su relato por estar inmersa en las revistas, lo que provoca en él uno de sus característicos lamentos. Pido mi bolso y cuando menos lo pienso nos encontramos de vuelta en la avenida, escuchando *The best of Blondie* y mirando hacia adelante sin nada que decir hasta apagar el carro en un mirador de la carretera. Javier se sienta en el prado a contemplar el trazado de las calles para renegar sobre la mala planeación de la ciudad. Su tesis sobre la complejidad de una manzana le valió el cum laude y un lugar en la Sociedad Internacional de Arquitectos, dentro de una hora dictará una conferencia sobre espacio público y privado mientras yo espero que mi madre termine su sesión de cuidado facial.

Puedo decir que mi vida ha sido relativamente fácil: hija única, un año de intercambio en Londres y otro en París me otorgaron el conocimiento de dos lenguas y una que otra aventura juvenil. Un padre con una rica pasión musical y una madre crítica de arte han sido los encargados de cultivar en mí el interés por las humanidades. La inclinación hacia las leyes deriva del lazo que me une con el tío Roberto y sus constantes charlas después de cenas y paseos campestres. Recuerdo el frenesí que caracterizaba las narraciones de sus casos y su nombramiento como magistrado de la Corte Suprema de Justicia. Ese día decidí mi carrera y la universidad donde un año después conocería a Javier. Estaba sentado en el borde de unas escaleras, fumaba un cigarrillo y obstruía el paso de quienes subían o bajaban. Me le instalé en todo su campo de visión en un acto de verdadera insolencia como me lo diría cuando nuestra amistad fuera más estrecha. Acostumbrada a manejarme con mi voluntad no me importó lo que pensara sobre mí, levantó los ojos y me hizo una lista de todos los materiales que cargaba en su maleta. Como era de esperarse, esta situación produjo el desequilibrio del andamiaje de niñita caprichosa y permitió que Javier comenzara a formar parte de mis asuntos cercanos. De manera casi instantánea, dimos inicio a lo denominado como un noviazgo, aunque los dos nos sentíamos tan disímiles y extraños en nuestro papel que necesitamos varias sesiones con amigos y familia para asumirnos dentro del nuevo rol. Después de tres años y medio de buscar afinidades, nos consideramos una pareja estable dentro de todos los posibles avatares amorosos.

Acostumbrado al rigor del hedonismo, Javier desfila por una serie de acontecimientos que, mezclados con el azar y la buena fortuna, han sido los encargados de mantener unidos su cerebro y sus arranques compulsivos en laberintos de balso y cartón corrugado. Profesa una admiración tan profunda por la torre Eiffel y por su autor, hasta el punto de hacerme dudar sobre sus verdaderas inclinaciones sexuales. Estas vacilaciones se disiparon más adelante cuando me invitó a conocer la colección de películas, libros y todo tipo de material relacionado con Woody Allen. Si el enamoramiento te puede convertir los defectos del otro en cualidades, un espacio consagrado a Woody desvanece en mí cualquier tipo de suposiciones y remilgos. Si eres de ese tipo de admiradoras que cae en coma cada vez que aparece con su inconfundible saco, su camisa y su pantalón, y sabes que tienes a tu disposición todas sus películas porque ese muchachito que conociste en la escalera de la universidad resultó ser el coleccionista número uno de tu ídolo, ya no necesitas pedirle nada más al mundo; sólo un buen sofá y mucho tiempo extra para desperdigar en forma deliciosa.

Puedo decir que mi amor por Javier creció el día en que apareció con tiquetes para hacer la ruta por las tres ciudades predilectas de Woody Allen. Estuvimos dos meses besándonos en Fifth Avenue, sentados en un banco de Champs Elysées y contando ropa durante nuestros paseos en góndola. Recorrimos, imaginamos y buscamos a Woody en todos los rincones de las ciudades, al mejor estilo de una novela de Agatha Christie. Para hacer más completo nuestro periplo de fanáticos consumados nos inscribimos en sesiones de judaísmo, jazz y en cursos libres en la NYU. Fue una completa inmersión en *The Woody's World*. Llegamos renovados, con un número inexacto de libros, camisetas, sacos, películas, discos compactos y cualquier objeto referente a nuestro afamado director. Todas estas cosas fueron a parar al cuarto de Javier, ante la imposibilidad congénita de albergar colecciones en mi casa; mi desorden, unido a mi neurosis por los objetos, no permite que mi habitación supere los implementos básicos para dormir y leer.

Hoy espero a mi madre en el lugar más oscuro que puede existir sobre la faz de la Tierra: un salón de belleza. Confieso que el amor que siento por ella es el único estímulo que me permite sortear durante hora y media la constante exposición a lociones, esmaltes, ruidos de secador y carcajadas que atacan en forma despiadada mis sentidos. Desde pequeña he huido del interés de mis tías por hacerme conocer los beneficios que existen con el uso de hebillas, maquillaje y peinados. Una sospecha sobre los centros de estética y sus nociones de la belleza ha sido la encargada de mi dedicación por recorrer inauguraciones, festivales, recitales y toda suerte de espacios que alberguen otra posibilidad, no en la venta de una utopía de belleza sino en especímenes que se consideran, en esencia, el absoluto del ideal estético. Javier aprendió a saborear ese gusto masoquista que me impulsa a asistir a eventos que superan a seis personas reunidas en un mismo recinto. Demasiada gente a quien saludar y conocer, preguntar y contestar, provoca en mí una reacción parecida a la de un alérgico al polvo dentro de una bodega. Aprendí del antiguo arte de la simulación cómo sortear este tipo de situaciones y encontré en Javier el aliado perfecto en esos momentos.

Debo aceptar que la relación entre mi madre y mi novio habita la sospechosa tierra de la perfección. Su mutuo gusto por la Bauhaus y por el art déco permitió el ensamblaje perfecto e instantáneo entre los dos; incluso programaron un viaje a Colonia para conocer las oficinas de la Werkbundaustellung, construidas por Walter Gropius en 1914. Su entusiasmo por el arte culinario los internaba en salsas, ollas y recetarios durante eternas sesiones gastronómicas mientras yo, dedicada a diferentes casos y a los últimos detalles de mi aplicación para el doctorado, pasaba las horas en el estudio. Mi madre no comprendía mi afición por las leyes; los cursos de arte a los que me inscribió desde pequeña, le hacían verme como su compañera de actividades culturales. Mi padre, más despreocupado en cuanto a descendientes se refiere, aunque inquieto por mostrarme los diversos caminos que la música ha dispuesto para el hombre, nunca lo hizo con intención de asegurar herederos. Reconozco que durante un tiempo insistí en el piano sobre una vocación que me había sido vedada. De nada sirvieron las clases con la señora Wallenhas; ni el extender todas las noches los dedos para ver lo largos, delgados y propios que eran para una pianista. Tras nueve meses de intentos, un estruendoso fracaso confinó mis propósitos al olvido y al piano a los recitales ofrecidos por otros.

La presencia de Javier representó para mi madre la extensión de sus labores a los espacios arquitectónicos y para mí, una forma de atenuar mis angustias sobre la sucesión. Disfruta las inauguraciones a las que mi madre lo lleva como parte del curso intensivo de vanguardias artísticas y movimientos culturales. Salen contagiados por la onda espontánea de los artistas rumbo a un café o a una fiesta en donde continuar sus lecciones.

Al realizar las prácticas en derecho laboral conocí a Julián. Estaba a punto de terminar con su carrera y con un matrimonio producto de una tarde de algarabía a orillas del río Pance. No resistía los programas de fin de semana que Adriana —su esposa— le procuraba al lado de sus vecinas de apartamento. Le propuse ser compañeros de tesis y ocupar los fines de semana conmigo. Nuestras labores se extendieron durante seis meses en lo que pasó de un trabajo investigativo a una relación de amores furtivos.

Cuando llegó la respuesta sobre mi doctorado, me enteré de los avances entre mi madre y Javier. Sin proponérselo, habían llevado su amistad a términos más comprometedores y no era posible esconder algo que se les salía de las manos de manera vertiginosa. La esmerada contemplación de formas geométricas y orgánicas y la constante comparación de espacios reales y virtuales los había conducido a las habitaciones de un motel por incontables veces. Todavía no entiendo el porqué de mi calma al conocer los menesteres entre mi madre y Javier; pensé en mi padre y en lo que ocurriría con él; pensé en Julián, en Adriana y en su hija; pensé en mi partida en mes y medio a Nueva York; pensé que en el fondo nada estaba mal y que era muy probable que aquello debía ocurrir, que por algo sucede todo en este mundo y que yo no soy quién para decidir qué debe pasar y qué no, que mi madre no dejaba de ser mi madre y Javier seguiría conservando su espacio. Mi relación con Julián no representaba nada definitivo y así lo había asumido desde el comienzo, pues me erizaba el sentirme parte de un hombre con problemas conyugales y con una hija de por medio. Adriana no ocupaba parte de mis intereses porque siempre pensé que era un asunto de Julián en el que yo no cabía. Así que no había sentimiento de culpa o de retribución con el cual relacionar a mi madre y su flirteo con mi novio. Me preocupaban mi padre y su reacción, pero salía con una médica especializada en genética que había conocido tres meses atrás en una conferencia sobre las posibilidades de la mente humana asociadas con la música.

Javier y mi madre me acompañaron al aeropuerto semanas después de todo el desenmascaramiento y mi padre quedó en visitarme pasados algunos meses. Con Julián hablé una que otra vez por teléfono, cuando los fragores del pasado habían desaparecido. Adriana estaba embarazada por segunda vez y todo parecía indicar que serían mellizos, así que retornó a su vida compartida y olvidó el trabajo que realizamos en la época de nuestras prácticas de últimos semestres. Javier me visitó un par de veces y conoció a Patrick, estudiante de posgrado en dirección y producción cinematográfica, mi novio inglés con el cual conviví durante algunos meses hasta que las circunstancias que nos unieron se encargaron de separarnos. Patrick es el auténtico niño genio que viene con todos los galardones y recomendaciones que se pueden otorgar. Había dejado a su novia japonesa terminando una maestría en artes visuales y esperaba encontrarse con ella en Tokio al terminar sus estudios en Nueva York.

Al concluir mi doctorado tomé unas vacaciones en Cerdeña en compañía de mis padres, que se habían reconciliado y se encontraban más adorables que nunca. Recorrimos grandes extensiones dedicadas al cultivo de la vid y del olivo. Al llegar a Bogotá, nos esperaba Javier; noté que sus facciones se habían aplacado con el paso de los años pero conservaba la indefinible sonrisa que tanto lo caracterizaba. Había dejado de fumar y no abandonaba sus sacos de lana. Sentí que el paso de los años y las experiencias vividas no habían logrado su propósito de borrar mis afectos por él y que, por el contrario, la distancia era la responsable de estrechar nuestros lazos. Reconocí en Javier esa mirada que derrumbaba mis afecciones, esa mirada que lograba derrotarme y no podía hacer nada para evitar el estado en el que me sumergía. Reconocí la comodidad de conducir por una avenida mientras Javier miraba al frente y el silencio se interrumpía con alguna canción de Morrisey, «Suede o Lightning Seeds». Reconocí sus manos y el leve roce de sus pantalones con las rodillas. Lo de mi madre y Javier había concluido semanas después de mi partida a Estados Unidos, en el momento en que los límites entre amante e hijo se fundieron en uno solo. La naturaleza incestuosa los asqueaba hasta el punto de acortar sus ya lacónicos encuentros amorosos y reducir las sesiones a los intercambios culturales del comienzo.

Hoy acompaño a mi madre a su cuidado facial después de dejar a Javier en el auditorio. No es necesario aclarar lo pasado, nos basta sabernos uno al lado del otro. He llegado a la conclusión de que amo a Javier como amo a mi madre y a mi padre, y que nuestros lazos no han sido cortados por las circunstancias ni por el tiempo, como suele suceder. Javier piensa igual y así me lo hizo saber en el mirador hace una hora. Sólo espero que mi madre salga de su sesión de estética mientras mi padre contempla, apacible, una revista de moda.

LAS AUTORAS

MARÍA ACOSTA (Bogotá, 20 de enero de 1969). Estudió artes y arquitectura en la Universidad de los Andes y en la Universidad Politécnica de Cataluña, de Barcelona, donde reside desde 1993. Desde hace algunos años se ha dedicado de lleno al trabajo literario. Ha publicado en revistas y actualmente está vinculada a varias editoriales españolas. Su libro *Leyendas de Sol y Luna* está próximo a ser publicado en Barcelona.

JULIANA BORRERO (Rio de Janeiro, 20 de octubre de 1973). Estudió literatura en la Universidad de los Andes, con un año de intercambio en Goldsmiths University de Londres. Ha trabajado en radio y videos experimentales, traducido cuentos de Poe, Dylan Thomas y Kipling, y publicó *Guía de lectura de «El coronel no tiene quién le escriba»* (Panamericana). Hoy es profesora de literatura en la Universidad Pedagógica y Tecnológica de Tunja.

MARÍA CASTILLA (Bogotá, 27 de abril de 1975). Estudió literatura en la Universidad Javeriana, trabajó en varias editoriales y en Fundalectura y ha publicado poemas en varias revistas. En la actualidad estudia en Munich con una beca de la Jugend Bibliothek.

ANDREA CHEER (Bogotá, 2 de octubre de 1976). Estudió derecho en la Universidad del Rosario y tiene un master de periodismo en Columbia University. También se especializó en periodismo en la Universidad de los Andes. Colabora con el periódico *El País* de Madrid y realiza prácticas en *Nouvel Observateur* en París. Ha recibido galardones en concursos de poesía y cuento.

MELISSA DÍAZ (Bogotá, 18 de enero de 1974). En la actualidad finaliza estudios de matemáticas en la Universidad de los Andes, con opción en filosofía de la ciencia. Actriz de teatro universitario y de un largometraje argumental. Profesora de cálculo diferencial y álgebra lineal en los Andes.

MERCEDES GUHL (Bogotá, 23 de diciembre de 1968). Estudió filosofía y letras en la Universidad de los Andes y realizó un posgrado sobre libretos para televisión en la Universidad Javeriana, así como una maestría sobre traducción en University of Warwick (Gran Bretaña). Es profesora de traducción en la Universidad Nacional, y también da clases en los Andes y el Rosario. Ha trabajado como editora de textos sobre temas ambientales y de ciencias humanas. Ha traducido, entre otros libros, *El fantasma de Canterville,* de Wilde (Panamericana); *Alicia en el país de las maravillas,* de Carroll (Panamericana), y *Viviendo juntos,* de Kate Cann (Norma). Publica con regularidad reseñas de libros y ensayos.

PILAR GUTIÉRREZ (Medellín, 1º de abril de 1967). Estudió comunicación social en la Universidad Pontificia

Bolivariana. Ha participado en talleres literarios en la Biblioteca Pública Piloto y la Universidad de Antioquia, en Medellín, con los profesores Jairo Morales y Mario Escobar, y en la Universidad Central de Bogotá, con el profesor Isaías Peña. Fue finalista en 2000 en el concurso de cuento breve «Letras de oro» en Buenos Aires, y en el concurso del mismo género convocado por «Lecturas Dominicales» de *El Tiempo*.

OLGA MARTÍNEZ (Medellín, 15 de julio de 1964). Médica oftalmóloga, ha participado en los talleres literarios de la Biblioteca Pública Piloto y de la Universidad de Antioquia, en la que ganó el concurso de cuento de 1994. Publicó el libro de ensayo *Antón Chejov, entre la pluma y el escalpelo* (Pontificia Bolivariana, 1999). Sus cuentos han aparecido en varios periódicos nacionales, y uno de ellos fue finalista en el concurso de la Cámara de Comercio de Medellín.

BEATRIZ MENDOZA (Barranquilla, 12 de enero de 1973). Estudió comunicación social en la Universidad Javeriana de Bogotá. Participó en talleres en la Casa de Poesía Silva. Vive hace seis años en Miami, en donde trabaja en el noticiero de Telemundo. Tomó cursos de cine y ha realizado varios cortometrajes. También escribe poesía.

XIMENA MEXÍA (Medellín, 8 de febrero de 1974). Inició estudios de periodismo pero finalmente se tituló en antropología en la Universidad de Antioquia. En la actualidad escribe una tesis sobre etnografía amazónica para optar por una maestría en la University of Regina, de Canadá. Ha publicado reseñas de libros y poemas en revistas y traducido relatos de Isaac Bashevis Singer.

LILIANA RICO (Medellín, 21 de octubre de 1970). Estudió comunicación social en la Universidad Pontificia Bolivariana. Tiene un máster en producción audiovisual en la Universidad Complutense de Madrid. Ha trabajado en televisión como directora, guionista y presentadora, en especial en programas educativos y literarios con la agencia EFE, la Asociación de Televisión Educativa Iberoamericana, Antena 3 y TVE Internacional. Publicó un relato en la antología *Historias de amor y desamor* (Editorial Trivium). Vive en Madrid.

RUTH RIVAS (Cali, 26 de diciembre de 1979). Estudió actuación teatral y literatura, esta última en la Universidad del Valle. Investiga el guión como herramienta para reconstruir lo urbano popular en Cali. Participa en talleres literarios, teatrales y de trabajo audiovisual.

CAROLINA SANÍN (Bogotá, 28 de abril de 1973). Estudió letras en la Universidad de los Andes y narrativa medieval española en Yale University. Es magíster en literatura portuguesa y magíster superior en literatura inglesa y literatura comparada y árabe. Ha sido distinguida con becas en Yale University y el Instituto José Ortega y Gasset, y ha ganado premios de poesía y cuento en concursos convocados por las universidades de los Andes y Externado de Colombia. Ha traducido novela y poesía del inglés y el francés para editoriales españolas, como *Tatuaje de mariposa,* de Philp Pullman (Muchnik); *Alí el magnífico,* de Paul Smaïl (Muchnik), y *El pájaro,* de Michael Snunit (RBA). Publica con regularidad ensayos y poesía. Ha escrito guiones educativos. Trabaja con editoriales españolas en Barcelona.

ANDREA VERGARA (Bogotá, 21 de abril de 1973). Estudió artes plásticas. En la actualidad culmina la carrera de literatura en la Universidad Nacional en Bogotá. Asistió al taller de narrativa de la Universidad Central con Isaías Peña. Ha trabajado guiones para corto y mediometrajes, y en las adaptaciones teatrales de *Cómo acabar de una vez por todas con la cultura,* de Woody Allen, y *Muerte accidental de un anarquista,* de Darío Fo.